Uriel Miron

A BONE´S THROW

PLAYING FOR TIME

In memory of my mother, Yael

מוזיאון הרצליה לאמנות עכשווית
Herzliya Museum of Contemporary Art

Begleitkatalog zu den Ausstellungen

Uriel Miron: A BONE'S THROW
H2 – Zentrum für Gegenwartskunst, Augsburg, Deutschland
19. Juli – 22. September 2013
Kurator: Dr. Thomas Elsen
Organisatorische Assistenz: Paul Gieseler
Aufbau / technische Assistenz: Paul Gieseler,
Ben Ressel, Herbert Wörle
Öffentlichkeitsarbeit: Dr. Tilo Grabach

Uriel Miron: SPIEL AUF ZEIT
Herzliya Museum of Contemporary Art
14. February – 11. April 2015
Kuratoren: Dr. Aya Lurie und Tal Bechler
Verwaltungsleiterin: Tammy Zilbert
Sekretärin des Museums: Revital Eyal
Hauswart: Yossef Akale
Aufbauhilfe: Uri Batson
Assistenz: Tal Bar On

Katalog
Konzept, Design und Herstellung: Michal Sahar
Graphikdesign: Noam Chen
Redaktion: Daphna Raz
Redaktion und Übersetzung aus dem Englischen:
Daria Kassovsky
Redaktion und Übersetzung aus dem Deutschen: Alice Meroz
Übersetzungen ins Englische: Christina Hirson (Elsen),
Uriel Miron (Ofrat)
Übersetzung ins Deutsche: Christina Hirson (Ofrat)
Übersetzung vom Deutschen ins Hebräische: Uriel Miron
Fotografien: Felix Weinold (Augsburg), Elas Sarig (Herzliya),
Uriel Miron, Arik Kilemnik (Drucke)
Projektleitung: Gil Givoni
Druck und Bindung: A.R. Printing Ltd., Tel Aviv

Unser persönlicher Dank gilt: Erna Fiorentini, Karen Irmer,
Dan Miron, Ulrike-Claudia Pulzer, Fr. Inge Rhomberg,
Ilan Schwarz, Sasha Serber, Dan Shaham, Yvette Zzauer

Größenangaben in Zentimeter, Höhe × Breite × Tiefe

ISBN: 3-931718-45-X

The catalogue is published in conjunction
with the exhibitions

Uriel Miron: A BONE'S THROW
H2 – Zentrum für Gegenwartskunst, Augsburg, Germany
19 July – 22 September 2013
Curator: Dr. Thomas Elsen
Administrative and technical assistance:
Paul Gieseler, Ben Ressel, Herbert Wörle
PR: Dr. Tilo Grabach

Uriel Miron: PLAYING FOR TIME
Herzliya Museum of Contemporary Art
14 February – 11 April 2015
Curators: Dr. Aya Lurie and Tal Bechler
Administrative director: Tammy Zilbert
Museum secretary: Revital Eyal
Maintenance: Yossef Akale
Mounting assistance: Uri Batson
Assistant: Tal Bar On

Catalogue
Concept, design, and production: Michal Sahar
Graphic design: Noam Chen
Text editing: Daphna Raz
English editing and translation: Daria Kassovsky
German editing and translation: Alice Meroz
Additional translations into English:
Christina Hirson (Elsen), Uriel Miron (Ofrat)
Additional translation into German: Christina Hirson (Ofrat)
German to Hebrew translation: Uriel Miron
Photographs: Felix Weinold (Augsburg), Elas Sarig
(Herzliya), Uriel Miron, Arik Kilemnik (prints)
Project management: Gil Givoni
Printing and binding: A.R. Printing Ltd., Tel Aviv

Special thanks: Erna Fiorentini, Karen Irmer, Dan Miron,
Ulrike-Claudia Pulzer, Mrs. Inge Rhomberg, Ilan Schwarz,
Sasha Serber, Dan Shaham, Yvette Zzauer

Measurements are given in centimeters,
height × width × depth

Stadt Augsburg
kunstsammlungen museen augsburg
Stadtsparkasse Augsburg

Deutsch

A BONE'S THROW:
Nah und Fern in den Werken von Uriel Miron
Thomas Elsen
5 D

SPIEL AUF ZEIT:
Das surrealistische Zwischenspiel
Aya Lurie
13 D

LEVIATHAN
Gideon Ofrat
25 D

AUS DEM BESTEHENDEN:
Über die Drucke von Uriel Miron
Irena Gordon
37 D

—

A BONE'S THROW
H2 – Zentrum für Gegenwartskunst, Gegenwartskunst, Augsburg, 2013
81 E (→)

PLAYING FOR TIME
Herzliya Museum of Contemporary Art, 2015
17 Hebrew (←)

English

A BONE'S THROW:
Near and Far in Uriel Miron's Work
Thomas Elsen
45 E

PLAYING FOR TIME:
The Surrealist Interval
Aya Lurie
51 E

LEVIATHAN
Gideon Ofrat
61 E

STARTING IN THE MIDDLE: On Uriel Miron's Prints
Irena Gordon
71 E

Biographical Notes
76 E

—

A BONE'S THROW
H2 – Zentrum für Gegenwartskunst, Gegenwartskunst, Augsburg, 2013
81 E (→)

PLAYING FOR TIME
Herzliya Museum of Contemporary Art, 2015
17 Hebrew (←)

A BONE'S THROW: Nah und Fern in den Werken von Uriel Miron

Thomas Elsen

Zum ersten Mal kam ich im Jahr 2011 in Tel Aviv mit der Arbeit von Uriel Miron in Berührung. Im Rahmen der dortigen Fresh Paint-Kunstmesse präsentierte er auf Einladung von Friederike Schir in einem künstlerischen Dialog mit der deutschen Fotokünstlerin Karen Irmer die Skulptur *The Principle of Moments*, die mich im konkreten Kontext, wie als autonome Arbeit gleichermaßen beeindruckte. Auf einen anschließenden ersten Atelierbesuch folgte ein intensiver Arbeitskontakt und Austausch, als dessen Resultat die Einladung an den Künstler zu einer Ausstellung ins H2 – Zentrum für Gegenwartskunst in Augsburg erfolgte.

Die Ausstellung, für die Uriel Miron den Titel *A Bone's Throw* wählte, stellt eine sehr eigenwillige Mischung aus Retrospektive, der Präsentation neuer, eigens für dieses Projekt entstandener Skulpturen sowie aus dem Entwurf eines eigenen Raumbildes dar: Die Bezugnahme seiner plastischen Arbeiten zur sie umgebenden Architektur, das Reagieren auf reizvolle, aber schwierige räumliche Eigenheiten, auf Proportionen und Blickachsen, auf den historisch-industriellen Charakter der ehemaligen Baumwollspinnerei, die das Gebäude einst beherbergte, und auf die lichtdurchflutete Weite des H2 produzieren in ihrer Gesamtheit eine Art begehbarer Innenlandschaft, die als dynamisches Raumganzes nicht nur in jedem einzelnen ihrer Kunstwerke, als vielmehr in der Erfahrung des eigenen Durchschreitens und Umwanderns erfahren wird. In dieser Art des ortsspezifischen Arbeitens liegt eine der wesentlichen bildhauerischen Interessen Uriel Mirons begründet, der bereits in Ausstellungen und Projekten vergangener Jahre Ort, Zeit und Situation als Gestaltungselemente der konkret gewählten Präsentationsform genauso stark berücksichtigte, wie den Wunsch des möglichst effektvollen in-Szene-Setzens der singulären Skulptur. Gleichwohl bedeuten Form, Komplexität und Umfang des in seiner Augsburger Ausstellung eingeschlagenen Weges auch für ihn eine neue Dimension des Experiments.

Wenn man von einem Künstler sagt, er zeichnet im Raum, so beschreibt dies zunächst eher generalisierend einen imaginierten Zusammenhang, noch nicht zwangsläufig eine tatsächliche bildhauerische Spezifikation. Bei Miron jedoch kommt diese Einschätzung geradezu einem Charakteristikum seiner Arbeit und seines Arbeitens gleich: Wo hört die Zeichnung auf, wo fängt der Raum an und umgekehrt. Diese Fragestellung ist für ihn von Beginn an von großer Relevanz geblieben. „Für mich hat alles in der Zeichnung seinen Ursprung. Und ich versuche in den Zeichnungen, die ich anfertige stets, die Bewegung meiner Hand nicht zu stören“. Wenngleich diese Bewegung vielleicht einer Art von automatischem Zeichnen entsprechen mag, so ist sie sicher nicht im strikten Sinn der Surrealisten der 1920er Jahre zu verstehen, die seelische Zustände durch trancehaft-kopfbefreite Kunstentwürfe zu verbildlichen suchten. Vielmehr versucht Miron, die Linie aus ihrer quasi dienenden Funktion der reinen Visualisierung einer künstlerischen Idee zu befreien, und sie stattdessen in die Dreidimensionalität, und damit in eine eigene bildhauerische Form zu entlassen. „Ich versuche, sie ihren eigenen Weg ziehen, sie tun zu lassen, was sie will“. Und dies gilt nicht nur für die Spontaneität und Direktheit des Zeichnens im klassischen Sinn auf Karton oder Papier, was auch für Miron ein nach wie vor relevantes Medium ist. Auch bei der Entwicklung seiner Skulpturen verfährt er kaum anders. Im Atelier stets ohne Assistenten arbeitend, entsteht meist eine Art von Masterplan im Kopf, ein dreidimensionale Linienverlauf, der sich dann aber im realen Arbeitsprozess mehr und mehr verselbstständigt. Miron lässt sich dabei bewusst immer wieder selbst überraschen. Und das durchaus gewollt.

Es sind unverkennbar organische, aus der Natur, genauer aus der Tierwelt abgeleitete Formen, die man häufig wieder zu erkennen glaubt, die bei genauer Betrachtung und in Bezug auf eine wie auch immer zu vermutende zoologische Identifizierung jedoch keinen wirklich empirischen Sinn ergeben. Dieser liegt eher im nächsten, gewissermaßen evolutionären Schritt, in der Verselbstständigung von der Natur- zur Kunstform. Diese Verselbstständigung vollzieht sich unmerklich, verläuft scheinbar ansatzlos, und gerade hierin liegt wohl eine besondere Fähigkeit des Künstlers: Es ist das prozessuale Prinzip der Transformation selbst, das sich im skulpturalen Produkt visualisiert und materialisiert.

Ein sehr anschauliches Beispiel hierfür ist *Cryptozoid Skeleton* (2009), eine an Stahlseilen von der Decke herabhängende Skulptur aus Holz und Plastik, die an ein urzeitliches Tierskelett, ein dinosaurierhaftes Reptil oder an ein phantastisches Unterwasserwesen erinnert (zur besonderen Bedeutung des Wals für Miron vgl. den Beitrag von Gideon Ofrat in diesem Katalog). Das suggerierte Knochengerippe, das auch etwas von spitz herausstehenden Fischgräten hat, besteht aus gesägten, einzeln zugeschnittenen Plastik-Stapelstühlen, wie man sie in den Straßen-Cafés zahlloser Innenstädte findet. Seit vielen Jahren arbeitet Miron mit diesem Material, das er für sich als künstlerischen Rohstoff entdeckt und immer wieder virtuos bearbeitet hat. So virtuos, dass man selbst dicht vor dem Objekt stehend schon sehr genau hinschauen muss, um auf die Ursprungsform des billigen Plastik-Readymades rückschließen zu können. Die hölzernen ‚Wirbel' dazwischen sind wiederum einzeln und Stück für Stück vom Künstler handgearbeitet, auch wenn vielleicht gerade sie wie Fertigteile wirken. Neben der großen Akkuratesse und der elegant geschwungenen Form des fabelhaften Wesens, das die Skulptur verkörpert, ist hier eine durchaus auch spielerische Experimentierfreude des Bildhauers erkennbar, die, wie er selbst es ausdrückt, vielleicht als eine unbewusste „Rekonstruktion von Kindheitserinnerungen in Form von Objekten" aufscheint. Die Lesbarkeit des konkreten künstlerischen Gegenstands beruht dabei genuin nicht, wie etwa bei Gabriel Orozcos monumentaler Skulptur *Dark Wave* (2006) auf einer kultivierten Hommage an einen ursprünglich zitierten Gegenstand, sondern auf gezielter Irritation: Wo Orozco Eindruck vor allem durch

Dimension erzeugt, um dann durch eine auratische Ornamentierung einen poetischen Dialog von Kunst und Natur zu evozieren, schafft Miron ein Verwirrspiel der ganz eigenen Art. Das wirkt fast wie ein grundsätzlich ironischer Kommentar – weniger auf den Entwurf eines einzelnen Künstlers abzielend, als auf das Konzept eines intellektuellen Plakativismus generell: Bei aller Präzision des eigenen Vorgehens setzt Miron gerade auch das spekulative Element in der Kunst. Wo ist bei einer Skulptur vorne, und wo hinten? Wo bei anderen, und wo in seiner eigenen?

Das Eigenleben der Linie spielt auch in *Liquid Asset* (2008), einem skulpturalen Objekt aus Holz und Stoff, eine unverkennbare Rolle. In diesem Arrangement scheinbar zufällig und harmlos angeordneter badestuhlartiger Formen bahnt sich eine eigene Dramaturgie an. Die ‚Badestühle' vermögen nicht wirklich als solche zu dienen. Im Prozess der weiteren Betrachtung der Skulptur erweisen sie sich schnell als ein funktionsloses, ästhetisch dafür umso ausgeklügelteres Konvolut, das nur noch rudimentär an den von ihm zitierten Ursprung erinnert. Es ist ein raffiniertes Spiel mit der mehr oder weniger bekannten Erscheinung banaler Gegenstände, so wie wir sie wahrnehmen, und zugleich ein Vorschlag, wie sie sich auch darstellen könnten. Die konstruktive Absurdität, die Miron hier in einer scheinbar mit sich selbst kämpfenden, um Ordnung ringenden Arbeit freilegt, belegt neben der großen Virtuosität der Ausführung auch einen intelligenten, trockenen Humor, der womöglich auch auf Eigenheiten der eigenen Künstler-Existenz, wie auf solche des alltäglichen Lebens anspielt.

In ihrer vielleicht unmittelbarsten Form kommen zweidimensionales Linienspiel und dessen dreidimensionale Erweiterung in der schon eingangs erwähnten Arbeit *The Principle of Moments* (2010) in den Blick: In dieser farbig gefassten Holzskulptur wird der Begriff der Raumzeichnung auf ganz unmittelbare Weise evident. Auch hier liegt als eine Art serielles Modul die Grundform eines Stuhlgestells zugrunde, die sich aber nicht nur in additiver Folge aneinanderreiht, sondern wie aufgefächert erscheint, und so ein ganz eigenes, verschlungenes, dreidimensionales Liniengebilde ergibt, das sich in der Bewegung des Betrachters, in der sich veränderten Situation von Licht und Schatten beständig selbst verdichtet, öffnet und dynamisiert. Das Spannungsverhältnis zwischen Serialität und freier Form wird letztlich erst durch die Bewegung des Betrachters raumgreifend, und genau dies ist integraler Bestand des skulpturalen Konzepts: Den perfekten Blickpunkt gibt es nicht, wohl aber die sich immer wieder neu und anders aufbauende Konstellation zwischen Raum, Objekt, Betrachter und ihrem ‚Dazwischen'. Oder anders: Die aus der Bewegung des Betrachters erwachsende Beobachtung wird zu einem Modus der Skulptur.

Drei ebenso monumentale wie filigrane Skulpturen, wiederum alle aus Holz, und allesamt farbig behandelt, hat Miron unter dem Projekttitel *A Bone's Throw* dem präsentierten Gesamtensemble eingefügt. Sie nehmen bewusst keine optisch hervorgehobene Position ein, sondern bilden eher so etwas wie eine sinnbildliche Klammer, die das Ganze der Präsentation in loser Folge und einen weiten Bogen beschreibend umfasst. Obwohl das Material vorgibt, Kunststoff zu sein, ist es doch Holz und erfährt erst durch die farbige Fassung einen Wandel in der Wahrnehmung des Betrachters hin zu einer künstlichen, artifiziellen Oberfläche. So wie Miron in *Cryptozoid Skeleton* den Kunststoff zum Kunst-Stoff macht, ‚versteckt' er hier umgekehrt die edle Anmutung des Holzes zugunsten einer scheinbar künstlichen Materialität. Die Einzeltitel aller drei Arbeiten, *Shake, Rattle & Roll*, zitieren (genauso wie schon *The Principle of Moments*, ein Album-Titel des früheren Led-Zeppelin-Sängers Robert Plant[1]) bekannte Songtitel der Rockgeschichte[2] keineswegs aus vordergründigem Effekt, sondern bieten als literarische Links Hinweise auf die musikalische Energie, die immer auch als Bestandteil der skulpturalen Sprache Mirons mitschwingt. Wie unmittelbar sich das auf den Besucher zu übertragen vermag, zeigt besser als jeder theoretische Erklärungsversuch die

1 Robert Plant, 1983, Swan Song.
2 *Shake, Rattle and Roll*, Text und Melodie: Charles E. Calhoun, 1954; aufgenommen u.a. von „Big" Joe Turner (1954), Bill Haley and His Comets (1954) und Elvis Presley (1956).

spontane Reaktion einer älteren Dame und guten Freundin während des Ausstellungsbesuches, die weder Miron noch dessen Arbeit vorher kannte: „Das hat Schmiss…"

In den *Tiefdruckbildern*, wie der Künstler diese von ihm entwickelte Werkform selber nennt, wird die gegenseitige Durchdringung von Bild und Skulptur zu einem kontinuierlichen Experiment. Rein formal sind hier Analogien zu den Frottagen von Max Ernst sichtbar, den er im Kontext des Surrealismus intensiv studiert hat. In Mirons eigener Ausprägung geht es mehr noch um das Bild als Körper (vgl. hierzu seinen 2013 verfassten Text „Tiefdruckbilder"). Und damit nicht zuletzt um die sich für ihn immer wieder verschiebende Grenze zwischen zwei- und dreidimensionaler Formgebung und Gestaltung: In paralleler Genealogie führt das Bild zur Skulptur, und die Skulptur zum Bild, das eine speist das andere und umgekehrt. Und wie in der Skulptur alles in der Zeichnung seinen Anfang nimmt, so umgekehrt im Bild in der Tiefe.

A Bone's Throw – vieles scheint unendlich weit, und doch nur einen Stein- bzw. Knochenwurf weit entfernt. In diesem Sinn stellt Uriel Mirons Projekt nicht nur eine künstlerische Reflexion über Archaik und Readymade, über die lebenslange Dialektik von Distanz und Nähe, von Stabilität und Fragilität, letztlich über das Verhältnis von Normalität und Ausnahme dar. Es bedeutet darüber hinaus auch eine sehr komplexe künstlerische Zwischenbilanz mit durchaus offener Perspektive. Mirons Arbeiten erscheinen darin weniger als Bedeutungsträger konkreter inhaltlicher Botschaften denn als ein fortgesetzter, sehr eigenwillig-poetischer Versuch künstlerischer Weltaneignung. Und vielleicht gerade dies verleiht seinen großformatigen Skulpturen eine oftmals so atemberaubende Leichtfüßigkeit, die mit Dichte, Gewichten und Beschaffenheiten von Materialien umzugehen imstande ist, als wären deren tatsächliche Voraussetzungen kaum existent. Vor allem aber in ihrer Zusammenschau – und dies scheint eine relevante Methode ihrer Aneignung zu sein – erfährt die statuarische Stille seiner Skulpturen das rasante, dynamisch bewegte Eigenleben, das in ihnen steckt. Und es ist wohl genau dies, was ein ganz grundsätzliches Gefühl vermittelt für das Spiel zwischen Erfindung und Erinnerung, für das Wissen um Vorbilder und das beständige sich lösen von ihnen, um das Befolgen und das Abweichen von Geplantem, um das Wesen der Ausnahme als eine Art von existenziellem Normalfall, um etwas also, das nicht nur formale Fragen der Kunst, sondern uns alle betrifft. Mirons künstlerischer Entwurf kämpft gegen all dies nicht an sondern bezieht es als einen, als vielleicht *den* kreativen Motor überhaupt, in das künstlerische Denken und Arbeiten der eigenen Geschichte ein. Deren Fortsetzung darf man schon heute mit Spannung entgegenblicken.

SPIEL AUF ZEIT: Das surrealistische Zwischenspiel

Aya Lurie

Die Einzelausstellung von Uriel Miron im Herzliya Museum of Contemporary Art zeigt drei Werkgruppen, die in den letzten Jahren entstanden sind: Als erstes wird im großen Saal eine Skulpturengruppe ausgestellt. Sie besteht aus vier raumgreifenden, weißen Holzskulpturen (2013-15), die sich gleichermaßen amorph und minimalistisch zeigen und so über den Raum verteilt sind, dass sie sich wie eine gezeichnete Linie durch die Ausstellungsfläche ziehen. Es folgt als zweites die Installation *Aufribbeln* (2012), die aus bearbeiteten Monobloc-Plastikstühlen besteht. Entstanden ist diese Installation für das „gewächshaus für zeitgenössische kunst" in Berlin. Als Drittes wird eine Serie von Arbeiten auf Papier gezeigt, Zeichnungen und Siebdrucke.

Der weiße Plastikstuhl als Leitmotiv liegt den drei Werkgruppen zugrunde, seine Präsenz ist nicht zu übersehen, er kann als zentrales thematisches Element der Schau verstanden werden. Im Laufe der Jahre, soviel sei angemerkt, tauchen in Mirons Werken weitere Möbelstücke und Gegenstände auf (Sessel, Liegestühle und Tische neben Ruder- und Paddelbooten zum Beispiel). In diesem Artikel jedoch geht es primär um den weißen Plastikstuhl, anhand dessen Mirons Arbeitsweise deutlich wird. Auch wird so verständlich, wie die Bearbeitung eines Objektes seine Rechtfertigung hinter den Seelenfeldern von geheimen Ängsten und Regungen verankert und zum Sprungbrett in eine über-reale Welt wird, in der Alltag und Fantasie verschmelzen.

Der weiße, gewöhnliche und weit verbreitete Monobloc-Plastikstuhl (der in Israel von der Firma „Keter“ hergestellt wird), erfährt in Mirons Arbeiten eine Reihe von Veränderungen, verschiedene und merkwürdige Abwandlungen seiner Form, das Material wird ausgewechselt, er wird beschnitten, verzogen und verbogen, so dass er seinen Zweck nicht mehr erfüllen kann. Dieser Stuhl beherbergt keinen menschlichen Körper mehr, der sich bequem in ihm niederlassen sollte, er ist kein Gegenstand mehr, der dem Menschen Gelegenheit zur Erholung bietet, selbst die spürbare Nicht-Anwesenheit des menschlichen Körpers findet keinen Nachhall mehr[1], wie wir es eigentlich aus der Kunst so gut kennen. Beispielhaft erwähnt sei die häufige Anwesenheit des Stuhls in der minimalistischen und der Konzeptkunst, etwa in den Werken von Donald Judd, Joel Shapiro, Richard Artschwager und Scott Burton auf internationaler Ebene, in Israel sind es Michael Gross, Micha Ullmann und Nachum Tevet. In ihren Arbeiten schafft die spezifische Wahl des Materials die Bedeutungsfelder, sie liegen in Gestalt und Funktion des bearbeiteten Stuhls. Gleichzeitig ist dieser auch ein geometrisches Objekt, das sich im Raum abzeichnet und ihn durch seine klare, symmetrische Präsenz markiert. Wie sprachliche Einheiten im syntaktisch-räumlichen Kontext funktionieren die kompositorischen Anordnungen der Stuhlgefüge, wenn sie in immer neuen, sich unmerklich wandelnden Formen in identifizierbaren, linguistischen Axiomen wiederholt werden.

Der abgerundete, weicher wirkende Plastikstuhl von Miron versucht, sich aus diesen bedeutungsschweren historischen Zuschreibungen zu befreien, die so religiös, so ausgeformt oder formalistisch daherkommen. Stattdessen richtet er sich in der vertrauten, unmittelbaren Gegenwart ein, in einer Welt aus Konsum und Industrialisierung, die dasselbe billige, gerade aktuelle Produkt wieder und wieder erschafft und zur Verfügung stellt. Dieser Stuhl – er ist das Gegenteil des bequemen Sessels, der mit so viel Gewicht und einer Fülle

1 Siehe Mordechai Omer, Katalog, **Das abwesende Anwesende**: Der leere Stuhl in der israelischen Kunst (Universität Tel Aviv, Galerie der Universität, 1991) [hebr.].

von Texturen, Stoffen und Ornamenten ausgestattet ist.[2] So gesehen, stellt dieser Plastikstuhl die alte Gesellschaftsordnung in Frage. Das hier ist ein Stuhl, der das „rationale" Design aus Geometrie und sorgsamer architektonischer Betrachtungsweise abschüttelt, wie man sie in den Stuhlkonstruktionen von Designern wie Josef Hoffmann, Mitbegründer der Wiener Sezession, Gerrit Rietveld (De Stijl) oder Eileen Gray in ihren Entwürfen für Le Corbusier findet. Doch dieser Stuhl ist auch kein typischer Vertreter einer globalen Konsumkultur im Sinne von Ikea, dessen Produkte auf Familien der bürgerlichen Mittelschicht und deren Kaufkraft zugeschnitten sind. Den Plastikstuhl, den Miron in seinen Werken immer wieder abwandelt, findet man vor allem in Mietwohnungen, auf Balkons und Terrassen, als leicht verfügbare Sitzplatzreserve bei größeren, häufig etwas improvisierten Veranstaltungen, in Büroküchen oder öffentlichen Wartehallen. Dieser Stuhl taucht auf, wenn Bedarf besteht, zu freudigen wie auch zu traurigen Anlässen, um danach wieder im Dunkel des Lagerraums zu verschwinden. Zwar gehört dieser Stuhl zum Einrichtungsrepertoire des zeitgenössischen Haushaltes und Büros, und damit auch zu einer gesellschaftlich-kulturellen Ordnung, die von Struktur und Sicherheit geprägt ist, doch gleichzeitig bleibt seine wundersame, von seinem Status gänzlich getrennte Präsenz in der Hierarchie der Möbelstücke eines normativen Haushalts relativ nebensächlich.

Betrachten wir den Stuhl unter diesem Gesichtspunkt, so erfährt er in Mirons Arbeiten eine bedeutsame Umwandlung, die vom bekannten, häuslichen Umfeld in eine entfernte, surrealistische Welt führt. Durch die Bearbeitung eines leblosen Plastikstuhls werden Möglichkeiten und Zusammenhänge sichtbar gemacht: Organisches, Zoologisches, Botanisches (Knochen, Gelenke, Pflanzen, Insekten) und Paläontologisches (in Form von Skeletten längst ausgestorbener

2 In seiner letzten Ausstellung im Herzliya Museum of Contemporary Art beschäftigte sich Miron auch mit dem Sessel, siehe Katalog **Memento Mobili**, Kuratorin: Dalia Levin (Herzliya Museum of Contemporary Art, 2000). Die im Katalog abgedruckte Kurzgeschichte von Uriel Miron, „Der Sessel", belegt dies exemplarisch. Auch andere Geschichten in diesem Katalog befassen sich mit Einrichtungsgegenständen.

Kreaturen). Die Installation *Aufribbeln* verwandelt Plastikstühle in Lebewesen, die ein Gewächshaus bevölkern: Es könnten Pflanzen sein, die sich in schlängelnder Bewegung ausbreiten, wie eine in den Raum wachsende Zeichnung, aber ebenso Insekten mit dünnem Rücken und verrenkten Beinen. Der hebräische Titel dieser Arbeit lässt zwei Deutungen zu: Demontage oder Abbau auf der einen Seite, aber auch Lösung oder Erklärung. Was aber wird damit ausgesagt? Nicht umsonst birgt der englische Titel, „Unraveling", klanglich auch die Deutungsmöglichkeit des „Un-Revealing", des Nicht-Enthüllens. So verweist er auf die Eigenschaft des geheimen Codes als Zustand, der es schlussendlich nicht erlaubt, sich wirklich und vollständig zu offenbaren.

In der dritten Halle sind weiße Holz-Skulpturen ausgestellt. Für sie war der weiße Monobloc-Plastikstuhl Ausgangspunkt und Modell. Auch ihnen ist die Dualität zueigen, die sie in der Schwebe zwischen Natürlich und Un-Natürlich hält, wie mechanische Teile oder Stücke von Fahrzeug-Karosserien. Gleichzeitig erinnern sie an Knochen oder Gelenke riesiger Lebewesen aus vergangenen Zeiten, an Dinosaurier, Mammuts oder Wale. Uriel Miron selbst beschreibt seine Schaffensweise in Begriffen, die der Evolutionsbiologie entlehnt sind:

> Hier handelt es sich um Auswahlprozesse und Überlebensantriebe, die kurzfristig wirken, in nur einer Generation, und zwar auf einzelne Organismen, nicht aber auf die ganze Art. Die Mutationen eines einzelnen Organismus dienen seinem sofortigen Überleben, doch sie können nicht in die Zukunft sehen, nicht die Bedingungen kommender Zeiten erahnen und so Eigenschaften erhalten, die erst den kommenden Generationen von Nutzen sind. So gesehen, verläuft die natürliche Auswahl der Evolution ohne „Richtung", ohne „Ziel", denn das, was uns als „Richtung" in der Geschichte einer bestimmten Art erscheint, macht nur im Rückblick den Eindruck einer einem bestimmten Zweck folgenden Entwicklung. In Wirklichkeit ist es eine Verkettung spontaner Lösungen, die wirksam bleiben. Dennoch: Die „Richtung" wirkt nicht nur retrospektiv, könnte

[1] In Medias Res, 2008, Tiefdruckbild (Acryl auf hölzerner Konstruktion)

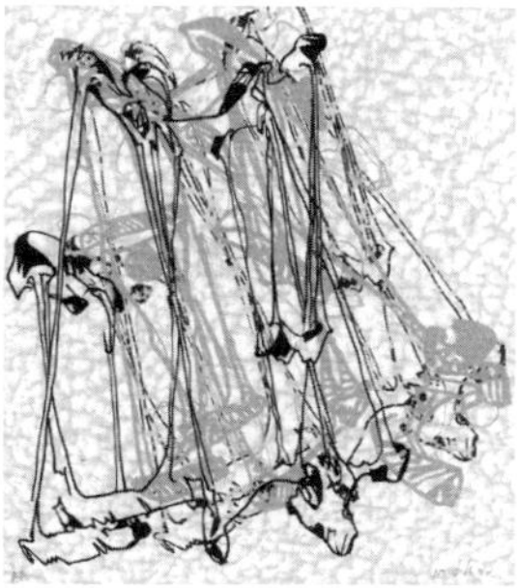

[2] Ohne Titel, 2009, Siebdruck aus dem Buch des Künstlers **Spinnengewebe**

man sagen, denn sie wird zu großen Teilen durch die Vergangenheit vorgegeben: Das Auftreten von Veränderungen und Mutationen ist zufällig, und je nach ihrer Bedeutung für den Fortbestand des einen, spezifischen Organismus werden sie bewahrt oder ausgelöscht, und gleichzeitig sind die Wandlungen und Mutationen, die ein bestimmter Organismus überhaupt hervorbringen kann, direkte Folgen seines spezifischen Aufbaus und seiner Gestalt (und auch das sind, so gesehen, Folgen vorangegangener Mutationen). Deshalb bestimmt die Vergangenheit in einem bestimmten Ausmaß die Zukunft, ohne sie jedoch zu kennen. Das bedeutet, dass die Gene eines jeden Geschöpfes eine permanente Aneinanderreihung evolutionärer Ereignisse darstellen, die auf die ursprüngliche DNA zurückgehen und so jedes Wesen zur Geschichte, zur Genealogie seiner selbst machen. Jedes Wesen legt Zeugnis über die genetische Entwicklung von Jahrmillionen ab. Meine Arbeitsweise nimmt diese Prinzipien auf: Die private, die persönliche und sogar die zufällige Vergangenheit eines Formenkerns (ein Splitter aus einem Plastikstuhl, beispielsweise) entspricht einer vorgegebenen Situation, aus der sich das Werk stetig und spontan entwickelt, und damit wird die Vergangenheit des Werkes fortgesetzt und begibt sich in die Gegenwart[3].

3 So Uriel Miron im Gespräch mit der Autorin während der Vorbereitung der Ausstellung.

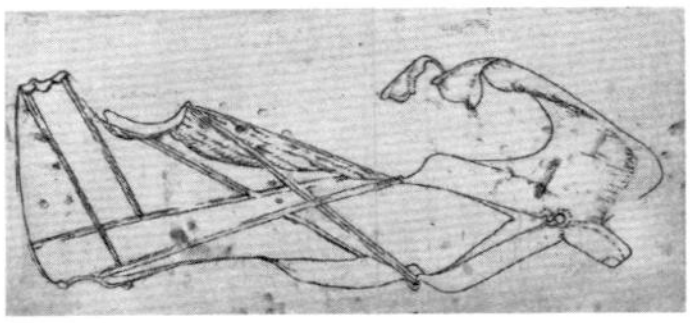

[3] Strand, 2007, Radierung-Aquatinta

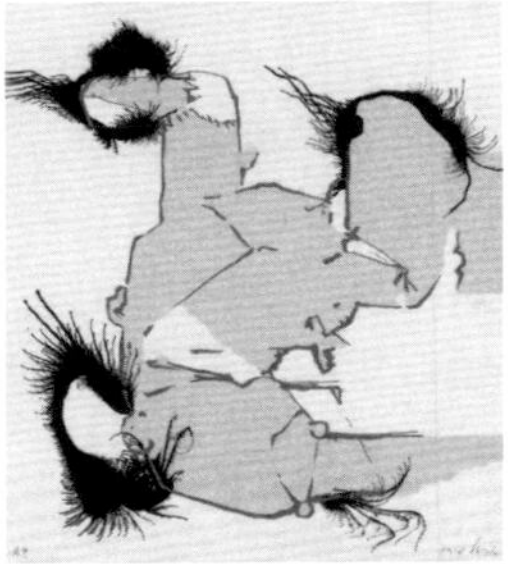

[4] Ohne Titel, 2009, Siebdruck aus dem Buch des Künstlers **Spinnengewebe**

Die Beschäftigung mit Transformationen, wie sie auch im Surrealismus weit verbreitet war, findet sich in Mirons Bildern ebenso wie in seinen Zeichnungen und Drucken: Eine Anhäufung von Plastikstühlen erinnert an ein Dinosaurierskelett [Abb. 1], eine Gruppe von Paddeln oder Pontons verwandelt sich in ein wellenförmiges Knochengebilde [Abb. 2], ein Liegestuhl wird zum Wal [Abb. 3]. Wahllos auf Papier getropfte Tintenflecke verteilen sich durch einen starken Luftzug über die Fläche und wirken wie seltsame Wesen [Abb. 4]. Diese Vorgehensweise erinnert an die automatische Zeichnung der Surrealisten, die einen Einblick ins Unterbewusste gibt, weil sie völlig ohne bewusste Zielsetzung entsteht – oder sich zumindest der Beurteilung durch den Schaffenden entzieht, die den freien Fluss der Kreativität unterbrechen könnte. Die Drucke verbinden also verschiedenartige Elemente, eine Kreuzung verschiedener Arten wird daraus, und die Erklärung, die Miron über seine Arbeitsweise abgibt, besteht hier neben und gleichzeitig mit einer über-wirklichen, surrealen Möglichkeit.

Häufig verwandelt sich das ursprüngliche Objekt, aus dem sich die Drucke und Zeichnungen entwickelten, in ein amorphes, organisches Wesen mit einem eigenen Leben. Ausdruck findet die verzweigte Realität in dem Namen, den Miron seinem für diese Wesen geschaffenen Buch gegeben hat: *Spinnengewebe*[4]. Der Titel ist einem Gedicht von Dan Pagis

4 Uriel Miron, **Spinnengewebe** (Jerusalem, Sadnat HaHedpes, 2009): Siebdrucke nach den Gedichten von Dan Pagis. Wortwörtlich aus dem Hebbräischen übersetzt bedeutet Spinnengewebe „Haus der Spinne".

entlehnt und verbindet Natürliches mit Künstlichem, das Gesicherte und Bekannte mit dem Gefährdeten und Abstoßenden. Die Beseelung des Unbelebten, wie sie hier imaginiert wird, erinnert an den Animismus-Begriff in der Entwicklungspsychologie: Dort handelt es sich um eine Entwicklungsstufe, in der das Kind den unbelebten Gegenständen die Eigenschaften von Lebewesen, die über ein Bewusstsein verfügen, zuschreibt, so dass die Grenzen zwischen der Welt des Lebendigen und der des Unbelebten verschwimmen – und ebenso die Grenzen zwischen Realität und Fantasie. Ein Kind, das seine Gefühle auf seine Umwelt überträgt, unterscheidet nicht zwischen seiner eigenen Innenwelt und der äußeren Wirklichkeit, und die Objekte um es herum erhalten menschliche Eigenschaften. Unter den Gedichten von Dan Pagis, die Uriel Miron mit Illustrationen versehen hat, finden wir „In der Ecke meiner Dämmerung", „Wo" und „Häuser", in denen Verlassensangst und existentielle Befürchtungen in der Beschreibung eines einstürzenden Hauses und seltsam flüsternder Möbelstücke zum Ausdruck kommen, denen nur die Kreativität Einhalt gebieten kann. In den Gedichten „Wo" und „Häuser" findet der Autor Zuflucht vor der bedrohlichen und negativen Wirklichkeit in der Kunst, in einem Bild, das an der Wand hängt und in einem Stift, mit dessen Hilfe er in skizzenhaften Strichen das Zerstörte auferstehen lässt. Auch Miron selbst beschreibt in einer seiner Kurzgeschichten, „Teppich und Klavier", die wunderbare und verführerische Naturwelt eines brennenden Lavasees mit riesigen Farnen und einer furchteinflößenden Bergbahn. Er schreibt aus der Perspektive eines Kindes, das sich unter dem Klavier versteckt und in seiner Fantasie die Ornamente des Teppichs mit menschlichen Eigenschaften versieht.

Die Werke von Uriel Miron zeigen auf faszinierende Weise eine Verquickung von zwei Strömungen der modernen Kunst: Einerseits die britischen Bildhauer aus den 80er und 90er Jahren, wie beispielsweise Richard Deacon [Abb. 5], oder Toni Cragg, die sich aus dem Minimalismus und der Konzeptkunst der 70er Jahre entwickelt hatten und der Bildhauerei das Gefühl des Materials, seine Bearbeitung mit den Händen und die halb figurative Metaphorik zurückzugeben versuchen.

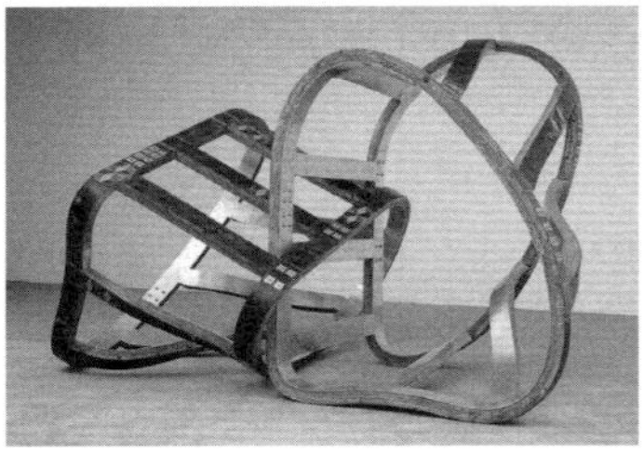

[5] Richard Deacon, **Schloss**, 1990, verleimte Holzschichten, Aluminium und Vinyl

[6] Alexander Calder, **Flamingo**, 1973, gefärbter Stahl

Auf der anderen Seite finden wir das späte Werk des Surrealisten Alexander Calder, in dessen frühe Schaffenszeit seine Mobiles fielen, später jedoch schuf er statische Skulpturen („Stabiles") aus Metall von beachtlichen Ausmaßen[Abb. 6]. Calders Skulpturen deuten in ihrer organisch-mechanischen Formensprache Tiergestalten und Menschen an und betonen doch sehr deutlich die Scharniere und Schrauben, die das Rückgrat der Konstruktion bilden. Die aus Metall geformten Silhouetten weisen den in ihnen gleichsam gähnenden Leerräumen eine wichtige Funktion beim Erleben der gesamten Figur zu und spielen gleichzeitig mit dem sie umgebenden Raum.

In diesem Sinne korrespondieren Mirons vier in der großen Halle ausgestellte Skulpturen mit der surrealistischen Bildhauerei Calders: Sie fordern uns zum Näherkommen auf, lassen sich umrunden und können sogar betreten werden. Der Plastikstuhl, aus dem sie hervorgingen, versinkt im Unsichtbaren. Die Skulpturen bestehen aus weiß gestrichenem Holz, das durch die Farbe seine organische Beschaffenheit verliert, die Verbindungsstücke zwischen den Einzelteilen sind mit großer Sorgfalt geschliffen und bearbeitet worden und bleiben dennoch deutlich sichtbar. In einem meiner Gespräche mit Miron kam er auf ein Dinosaurier-Skelett zu sprechen, das in seiner Kindheit im Naturkundemuseum von New York gesehen hatte. Im Laufe der Jahre begriff er, dass die meisten seiner Teile Nachbildungen, in gewissem Sinne Skulpturen, Erfindungen sind, die in Anlehnung an die wenigen Skelettreste konstruiert wurden, die überhaupt existieren, wodurch das Skelett einen immer größeren

Eindruck auf ihn machte.[5] Betritt man Mirons Studio, dann hat man schnell den Eindruck, man sei auf einem verlassenen Friedhof, wo man Skelettteile von Elefanten oder anderen riesigen Lebewesen aus prähistorischer Zeit entdeckt, wie ein Walskelett, von dessen riesigem Körper nur noch die angedeutete Silhouette übrig geblieben ist.

Die Lektüre eines weiteren Textes von Miron selbst, „Der Traum vom Schrumpfen", führt uns zu weiteren, verborgenen Ebenen. In diesem Text fragt er sich selbstreflektiv, was ihn dazu bewegt, Objekte aus ihrem üblichen Größenkontext herauszunehmen, indem er eine Nachbildung schafft: Inwiefern schadet dies dem Selbstbild des Künstlers, und vor allem, inwiefern ist es der Selbstwahrnehmung abträglich, die sich aus der Vorstellung speist, dass ein Körper eine prä-soziale Einheit darstellt (kindlich gesprochen), die eine erste Abgrenzung von der Umgebung darstellt. In seinem Artikel erklärt Miron:

> Erstens lassen Sie mich sagen, dass die Verkleinerung, die Beschäftigung mit ihr, das Spiel mit Miniaturausgaben der Realität ein Quell des Vergnügens ist, vielleicht sollte man eher sagen: eine Lust. Frühen Ausdruck findet diese Lust in den Spielzeugen von Kindern (von denen ein großer Teil aus verkleinerten Modellen von Figuren und von Gebäuden besteht), auch in der Kinderliteratur ist sie sehr verbreitet. [...]
>
> Die Verkleinerung des Körpers, des Ich in der Fantasie hat einige imaginäre und psychische „Vorteile": Zugang zu Informationen, Zugang zu verbotenen Orten, Unsichtbarkeit, subversiver Einfluss und nicht zuletzt die Rückkehr in einen libidinös-infantilen Zustand, in dem die geschlechtliche Energie nicht auf bestimmte Körperteile und erogene Zonen festgelegt ist, sondern frei im ganzen Körper zirkuliert, der wie ein einziges

5 Es existiert eine Skulptur Mirons, die wie ein riesiges Dinosaurier-Skelett aussieht. Sie besteht aus aufeinander getürmten Plastikstühlen und wurde erstmals in der Ausstellung *The Natural History Museum* (2009) im Petach Tikva Museum of Art, Kuratorin: Revital Ben-Asher Peretz. Die Skulptur wurde danach in Augsburg in der Ausstellung *A Bone's Throw* gezeigt.

erotisches Glied, eine einzige erotische Zone funktioniert.

Ein Miniaturwesen kommt an Informationen heran, die den „Großen“ nicht zur Verfügung stehen. Einerseits ist er „näher“ an den Dingen und kann auch in Räume und Trennwände, die sich zwischen ihnen befinden, eindringen und so ihren inneren Aufbau begreifen, wie die Helden der „Borgmännchen“[6], die wirklich in den Wänden und unter den Fußböden leben, beinahe wie Ratten, Kakerlaken und Insekten, und deshalb alle Geheimnisse eines Hauses kennen. In der Moderne ist auch in der Wissenschaft ein großer Teil unserer Erkenntnisse unserer Fähigkeit, die Dinge aus immer geringerer Distanz zu betrachten, zu verdanken. Und so haben viele moderne „Märchen“ das Schrumpfen des Körpers oder des Bewusstseins als wissenschaftliches Werkzeug zum Thema. In dem klassischen Fantasy-Film *Die fantastische Reise* (Fantastic Voyage) von 1966 mit Raquel Welch in einer der Hauptrollen werden einige der Abenteurer zusammen mit ihrem U-Boot-artigen Fahrzeug auf mikroskopische Größe geschrumpft, und dann in den Körper eines Diplomaten injiziert, um eine für ihn lebensbedrohliche Verletzung zu heilen, die ihm bei einem Mordversuch zugefügt wurde. Die Schrumpfung bringt nicht nur neues Wissen, sondern auch radikale Möglichkeiten der Einflussnahme, in anderen Worten, Macht über die Welt (intrusives, penetrierendes Wissen, wodurch Körper und Bewusstsein zum Phallus oder auch zum Virus werden).

[...] In einem fantasierten Zustand der Verkleinerung wird der ganze Körper zum Geschlechtsteil, das an verbotene Orte vordringen, aber auch zum Sexspielzeug der „Großen“ werden kann – zwei infantile Geschlechtsfantasien par excellence. Er kann in die Gebärmutter zurückkehren, sich im begehrten großen

6 Mary Norton, **Die Borgmännchen**, verschiedene Bände, aus dem Englischen von Theresia Mutzenbecher bzw. später unter dem Namen Die Borger aus dem Englischen von Christina Jung.

Körper einnisten oder ein Fremdkörper bleiben, ein Eindringling, der Veränderungen (zum Guten oder zum Schlechten) in Gang setzt. Die Fantasie von der Rückkehr in die Gebärmutter erfährt in dem Film *Sprich mit ihr* (2002) von Pedro Almodovar eine direkte, schon ins Parodische überzogene Übersetzung, als in einer Szene ein verkleinerter Mann auf den nackten Körper einer schlafenden Frau klettert und in ihre riesige (und unübersehbar künstliche) Vagina eindringt.

[...] Für meinen Geschmack rührt die Lust am Bauen oder Betrachten von Miniaturobjekten daher, dass das unsere Fantasie herausfordert, eben diese erste, kindliche Fantasie, dass wir ein subversiver, intrusiver Homunculus sind, ein Menschlein, das guckt, das weiß, das sieht und versteht, wie die Dinge von Innen aussehen, von Nahem, das sich dem Gesehenwerden durch die Großen entzieht, und nicht nur dem, sondern auch der Verantwortung, den Verpflichtungen des Erwachsenen, ein Menschlein, dessen ganzer Körper manchmal vor ursprünglicher, geschlechtlicher Energie bebt. Das Menschlein ist kaum von seiner Umgebung zu unterscheiden. Wenn er in die Zwischenräume der Wirklichkeit eindringt, einfällt, und dort Veränderungen in Gang setzt, dann ist er ein Fremdkörper, anders als seine Umgebung, als die Gesellschaft. Gibt er sich der Fantasie von der Rückkehr in die Gebärmutter hin, dann kehrt er an den infantilen Punkt vor der Entstehung seines Selbst zurück, das sich als von der Umwelt physisch abgetrennt in seinem eigenen Körper wahrnimmt.

[...] Das umgekehrte Modell, die Vergrößerung, lässt eine noch stärkere Beanspruchung dieser Fantasie zu: Wenn kleine, sogar mikroskopisch kleine Gegenstände, auf monumentale Ausmaße vergrößert werden, kommt der Betrachter (und der Erschaffer) dem gewünschten Zustand der Verkleinerung seiner selbst noch näher, denn es ist nicht nur so, dass das Ich vor der Größe des Objektes zum Zwerg wird, sondern es schrumpft sich

> selbst im Verhältnis zur Kleinheit des vergrößerten Gegenstandes noch mehr.[7]

Die Veränderungen im Maßstab eines vorgegebenen Objektes, einer Umgebung oder eines Helden (der Künstler oder der Betrachter), der in dieser Umgebung arbeitet, wirken in Mirons Welt durch das psychoanalytische Prisma. Und nicht nur das: Miron nannte diese groß angelegte Skulpturengruppe „Spiel auf Zeit", im Hebräischen „Moschech Sman"[8], und damit zeigt er sein Streben nach den Dimensionen, die hinter dem Rationalen liegen, in einer kindlich-künstlerischen, freien Über-Realität, die nur von der Fantasie beherrscht wird. Der abstrakte Begriff der Zeit wird als materielle und wirkliche Präsenz beschrieben, die auch flexibel ist und gestaltet werden kann. Der Titel ruft Erinnerungen an die zerfließenden Uhren von Dali wach (ein Bild, dessen Titel, daran sei hier erinnert, eigentlich *Die Beständigkeit der Erinnerung* lautet), die hier zu einem modifizierten Plastikstuhl werden, der im Studio des Künstlers zwischen Schraubzwingen gespannt wurde, oder, in Mirons eigenen Worten: „Systematisch und bewusst vermeide ich es während des Prozesses, mir das endgültige Ergebnis meines Wirkens vorzustellen, damit sich das Werk organisch und Veränderungen gegenüber offen entwickeln kann." Auch die Ausstellung zeigt einen Schaffens- und Wesenszustand, der zwischen den Zeiten existiert, zwischen und gleichzeitig in verschiedenen Welten: Die Vergangenheit wird auf die Gegenwart gespannt, verbindet sich mit der bald eintretenden Zukunft, und so verbindet sich das Temporäre mit dem Permanenten, die Kultur umhüllt die Natur, aus Ideen wird Materie und das Unbelebte verwandelt sich in einen lebendigen Organismus.

7 Uriel Miron in einem noch nicht veröffentlichten Artikel.
8 Moschech Sman bedeutet wörtlich: Zieht Zeit. Anm. d. Ü.

LEVIATHAN

Gideon Ofrat

Uriel Miron ist ein hervorragender Künstler, und es kann sein, dass ich ihm auf den folgenden Seiten einen geringen Dienst erweise. Denn ich bin im Begriff, eine Angelschnur (eine Harpune?) in die breiten und tiefen Wasser seines Schaffens zu werfen und einen Wal zu fangen, und alles durch diesen Filter aufzunehmen. Vielleicht aber war meine Angel bereits mit einem kleinen Wal versehen, noch bevor sie ausgeworfen wurde... Daher muss ich von vornherein eine Sache klarstellen, auch wenn sie vielleicht gar keiner Klärung bedarf: Wer Kunst deutet, legt vor allem Zeugnis über seine Sicht der Dinge ab. Ich nehme an, dass mein interpretatorisches Manöver dem Einfluss von Herman Melvilles *Moby Dick* geschuldet ist. Tatsache ist, dass ich in Mirons Arbeiten vom Mastkorb meines Geistes aus immer wieder Wale entdecke, seit ich 2004 erstmals mit ihnen in Berührung kam. Ob diese eines Kapitän Ahab würdige Wal-Obsession aus mir selbst kommt oder dem Künstler zugeschrieben werden muss, vermag ich nicht zu entscheiden.

Nicht allein Uriel Mirons umfassende Bildung kann die Affinität des Künstlers zu *Moby Dick* erklären: Bis 1990 studierte er Literatur an der Yale University in New Heaven Connecticut. Nicht weit davon stach das Schiff von Kapitän Ahab zu seiner selbstmörderischen Reise in See, welche dieses Meisterwerk amerikanischer Literatur so sagenhaft erzählt.

Mein erstes Zusammentreffen mit Mirons Wal (in Melvilles Roman ist es das dritte, welches kritisch bzw. tödlich endet) fand im Jahr 2005 statt, in der von ihm selbst kuratierten Gruppenausstellung „Soft Corner" im Ein Harod Museum of Art[Abb. 1]. Die Räume der Ausstellung durchzog ein überlanges, sehr dünnes Polster-Kissen, das „sich wie eine

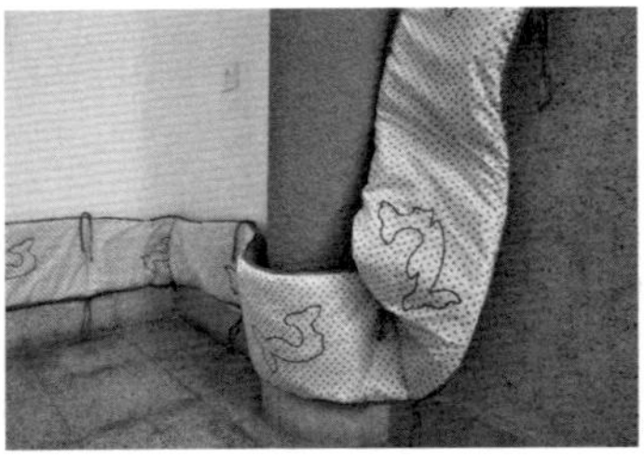

[1] Soft Corner, 2004, Tintendruck auf Baumwollkissen mit Acrylfaserfüllung

riesige, beinahe schon endlos lange Boa constrictor aufrollt [...], es umfasst einen Großteils des Museums. [...] In regelmäßigen Abständen sind Figuren darauf gedruckt. Ausgehend von einer stilisierten Wal-Gestalt, wandeln und entwickeln sich diese Bilder über die Länge des gesamten Objekts hinweg. [...]

Die Form des Wales, welche Miron seit seiner Kindheit fasziniert, erschien als Thema in seinen Arbeiten bereits 1996, in einer Serie von Zeichnungen von Walspeck, der dicken subkutanen Fettschicht der Wale [...].“[1]

Die Beschäftigung des Künstlers mit den Walen, bemerke ich zu mir selbst, nahm ihren Anfang bereits vor seinem Literaturstudium. Und dieses lange, pufferartige Kissen mit seinen mutierenden, aufgedruckten Walen gleicht nicht nur einer Riesenschlange (wie wir später sehen werden, verschmolzen die Gestalten von Wal und Schlange in der westlichen Kultur unter dem Einfluss des Buches Hiob), es hat seinen Platz ebenfalls im Kinderbett. Um es mit anderen Worten zu sagen: In Mirons Bewusstsein oder darunter hängen die Gestalt des Wals und das frühe Kindesalter auf eine bestimmte Weise zusammen.

Ein zweites Mal begegnete ich Mirons Wal bei der Ausstellung *The Natural History Museum* am Petah Tikva Museum of Art im Jahr 2009. Hier zeigte Miron eine faszinierende Skulptur mit dem Titel *Cryptozoid Skeleton* (eine Wortschöpfung aus „Krypto“ und „Zoologie“, die die Erforschung mythologischer, erfundener oder ausgestorbener Wesen beschreibt): ein gigantisches Skelett aus aufwendig gearbeiteten weißen Wirbelknochen, die in Wirklichkeit zersägte Plastikstühle sind.

Die ausgesprochen hydro-dynamische Qualität, die von diesem großartigen, fiktiv prähistorischen Skelett ausging, ließ mich sofort an einen monströsen Wal denken. Ebenso fand Mirons inspirierte

1 Galia Bar Or, „Soft Corner,“ Übers. Uriel Miron, Ein Harod Museum of Art, 2004.

Verbindung von Material und Form sofort meine volle Bewunderung. Sogar seine spezielle Art, die Plastikstühle mit Schnitzarbeit zu verändern oder zu zerschneiden, erinnerte mich an das methodische Ausschlachten der Walkadaver auf der *Pequod*, das so detailreich und lebendig in Melvilles Roman dargestellt ist.

Ein Jahr später fand ich mich zum dritten Mal Mirons Wal gegenüber. Von diesem Zeitpunkt an gab es, was mich betrifft, kein Zurück mehr: 2010, im unteren Bereich der Gallery 39 in Tel Aviv sah ich Mirons einzelne Holzskulptur inmitten seiner „Tiefdruckbilder" (bestehend aus eingeschnittenen, mit Farbe eingelegten Sperrholzplatten, die dann mit dem Schnitzmesser bearbeitet und geschmirgelt werden). *Sea legs* [Abb. 2] hieß diese Skulptur, und ich konnte wiederum nicht umhin, an Kapitän Ahabs Prothese aus Walknochen zu denken, welche das von Moby Dick abgerissene Bein ersetzte. Die Skulptur selbst – eine binäre Form, aus zwei Hauptelementen konstruiert – die eine skelettartig, die andere körperhaft, welche aneinanderlehnen (mithilfe einer Art Krücke, die einem Ruder ähnelt!) erinnerte an sowohl altmodisch als auch modern gestaltete Formen von Fischleibern oder auch an Schiffe. Ich gebe gerne zu, dass literarische Anspielungen mein visuelles Erleben bereichern. So wurde für mich Mirons ausgeprägtes bildhauerisches Können, mit dem er Spannungen der Ausdehnung zwischen Außen- und Innenräumen gestaltet, durch die Assoziation mit Melvilles Walfänger, der von dem satanischen Moby Dick zum Sinken gebracht wurde, noch erhöht.

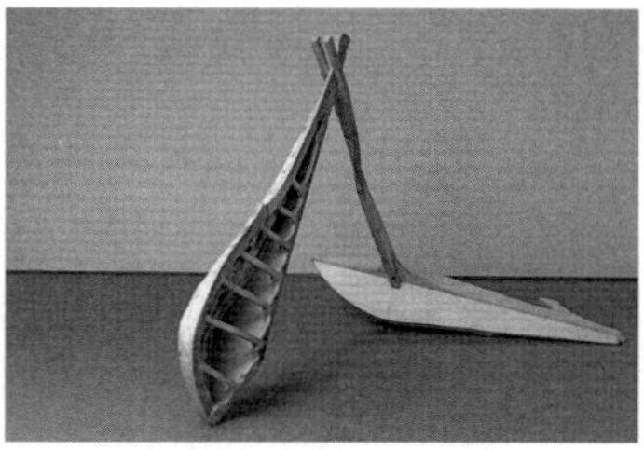

[2] Sea Legs, 2010, wiederverwendetes Holz, Sperrholz

Zu einem späteren Zeitpunkt besuchte ich Mirons Studio im Süden von Tel Aviv. Dank dieses Besuchs weiß ich, dass die „Absicht des Künstlers" nicht notwendigerweise meiner hier dargelegten Interpretation entspricht. So ist beispielsweise zunächst die Idee sich wandelnder oder wandelbarer Möbel für Miron zentral für sein

Werksverständnis. Nichtsdestoweniger bin ich mir gleichzeitig bewusst, dass Miron 2008 im Center for Digital Art in Holon eine Animation mit dem Titel *Stone, Sea and Scissors* ausstellte (der Titel nimmt Bezug auf das Kinderspiel Schere, Stein, Papier, wobei er das Papier durch das Meer ersetzte). In einer digitalen Veröffentlichung des Center for Digital Art lese ich:

> „...eine Arbeit ausschließlich über das verrenkte, gefaltete, zusammengeschnittene und vervielfältigte Bild eines gejagten Wals. Mirons Bearbeitungen des Walbildes rufen die Gewalttätigkeit des Walfangs und dessen inhärentes Paradox ins Gedächtnis: der Walspeck, der den Cetacea das Überleben im Wasser ermöglicht, führt gleichzeitig zum Aussterben der Art durch den Menschen. [...] Im 18. und 19. Jahrhundert wurde der harpunierte Wal an die Seite des Schiffes gekettet und in Rotation gebracht, währenddessen Haut und Speck in langen Streifen abgeschält wurden.[...] Inspiriert durch diesen Prozess des Abschälens erschuf Miron eine Serie von über 200 Zeichnungen von verschiedenen Gestalten des Wals, welche Veränderungen und Mutationen erfahren [...] und eine permanente Folge von Auslöschung und Entstehung bilden."[2]

Weiter betont eine Skulptur mit Namen *Liquid Asset* (2008), von der Grundform eines Strandliegestuhls ausgehend, aber zerstückelt und in eine hydro-dynamische Form überführt, von neuem im Titel die Verbindung zum Wasser.

Der Name einer weiteren Skulptur, *Memento Mobili* von 1999 – ein weiterer Stuhlmutant – flüstert mir nicht nur „Erinnern an Bewegung" oder „Erinnern an Möbel" zu, sondern auch „Erinnern an Moby(li)". Die letzten Schatten eines Zweifels werden ausgeräumt: Mirons Tendenz, Gebrauchsgegenstände in hybride „Skelette" oder pseudo-archaische und

2 Irena Gordon, **Maarav**, April 7, 2008. Übers. Uriel Miron, http://www.maarav.org.il/archive/classes/PUPrintc1f7.html?id=1105&lang=HEB.

gleichzeitig moderne „Fossilien" zu überführen, bringen den Künstler und mich zurück zu diesem gigantischen Meeressäuger.

Dann erhielt ich eine Einladung zu Uriel Mirons Einzelausstellung im Augsburger Museum für zeitgenössische Kunst, und die der Einladung beiliegende Fotografie ließ mich sofort an eine riesige, knöcherne Konstruktion von Überresten eines Wales denken. Ich kann nicht sagen, wie diese Assoziation zustande kam: vielleicht war es die manifeste knöcherne Natur der weißen Form; vielleicht der hydrodynamische Linienfluss; oder auch die schiere Größe des abgebildeten Objekts. Wahrscheinlich war es alles zusammen. Auf jeden Fall nahm ich sofort mein Exemplar von *Moby Dick* zur Hand und öffnete Kapitel 104, „Der fossile Wal":

> „Vereinzelte Fossiltrümmer von präadamitischen Walen, Bruchstücke ihrer Knochen und Skelette, sind während der vergangenen dreißig Jahre in unterschiedlichen Abständen [...] gefunden worden. [Melvilles Roman wurde 1851 veröffentlicht. G.O.]
>
> [...] Doch bei weitem der wunderbarste von allen cetaceanischen Überresten war das beinah vollständige gewaltige Skelett eines ausgestorbenen Ungeheuers, gefunden im Jahre 1842 auf der Plantage von Richter Creagh in Alabama. Die von Ehrfurcht ergriffenen leichtgläubigen Sklaven der Nachbarschaft sahen es für die Gebeine von einem der gefallenen Engel an [...] Wenn ich so zwischen diesen mächtigen leviathanischen Skeletten, Schädeln, Stoßzähnen, Kiefern, Rippen und Wirbeln stehe [...] werde ich von einer Flut in jene wundersame Periode zurückgetragen.[3]"

Mirons „knöcherne" Skulptur erschien mir in der Tat wie eines dieser archaischen Fossilien, die Melville beschrieb. Es blieb nur die Frage:

3 Herman Melville, **Moby Dick**; oder: Der Wal, Deutsch von Friedhelm Rathjen, Frankfurt/Main 2009, S. 666-667.

Wohin führen die Skelette und anderen Überreste des Wales Miron zurück? Wie und warum ist er berufen, dieses tote Meeresungeheuer zu verfolgen, er, der an den Küsten des Mittelmeeres lebt, in dem keine Wale vorkommen? Der berühmte Architekt Frank Gehry sprach einmal von einer Kindheitserinnerung, einem lebenden Karpfen, der in der Badewanne seiner Großmutter schwamm, eine Erinnerung, die in vielen seiner architektonischen Entwürfe wieder aufscheint. Worin also, frage ich erneut, besteht die Verbindung zwischen Uriel Miron und den Walen?

Eine offensichtliche Antwort könnte sich auf die Jung'schen Archetypen gründen: „das Monster", „die Reise", „der Held"... Weiter oben habe ich bereits erwähnt, daß er sich seit seiner Kindheit für Wale interessiert und diese bereits mit dem Bett eines Säuglings in Verbindung gebracht hat.

Es wäre daher ganz vernünftig, seine Beschäftigung mit Walen als Repräsentation eines unbewussten Regresses in die Kindheit und der Furcht vor einem raubtierhaften Monster zu verorten... Aber wer bin ich, um in die Psyche eines Künstlers einzudringen (eingedenk eines Aufsatzes des Philosophen George Dickey von 1962 mit dem Titel „Is Psychology Relevant to Aesthetics?"[4])

Daher wende ich mich der Kunstgeschichte zu. Vor mir liegt ein Album mit Illustrationen von William Blake zum Buch *Hiob* (1823), dessen Radierungen und Zeichnungen 1992 im Israel Museum (Kuratorin: Meira Perry-Lehmann) ausgestellt waren. Auf Tafel 15 sehe ich das Bild des Schöpfers auf einer Wolke, der mit einer Geste seines Armes die Aufmerksamkeit von Hiob und seiner Familie auf einen darunter gelegenen Kreis lenkt, in dem wir Behemoth (ein Flusspferd) und den Leviathan sehen. In Marion Milners „Psychoanalysis and Art" (Psychoanalyse und Kunst) interpretiert sie Blakes Monster als bewusst (Behemoth) und unterbewusst (Leviathan) und erläutert:

4 George Dickey, „Is Psychology Relevant to Aesthetics?", in: **The Philosophical Review**, 71, May 1962, S. 285-302.

> „Denn Behemoth scheint auf dem festen Land zu stehen, augenscheinlich ist er darüber auch ziemlich ärgerlich; der Leviathan hingegen ist halb im Wasser untergetaucht und sieht aus, als würde er komplett darin versinken. Ob dies aber aus dem Taumel der Agonie oder einer Ekstase heraus geschieht ist schwierig zu sagen. Die Tatsache, dass Blake die Figur des Leviathan in Verbindung mit Untiefen zeigt, fast als eine Schlange, kann darauf hindeuten, dass Leviathan in Verbindung steht oder identisch ist mit einer primitiven Form des weiblichen Aspekts der Psyche (es ist die Mondgöttin, die Schlangen beherrscht)."[5]

In einem anderen Artikel aus Katalog der Ausstellung von Blakes Hiob-Illustrationen lese ich, dass es sich bei Behemoth und Leviathan um

> „unendlich gegensätzliche Elemente handelt, aber auf diesem Bild werden sie vereint dargestellt. Die Tatsache, dass Gottes Finger auf beide zeigt, weist darauf hin, dass er beide als seine Geschöpfe erschuf, und daher niemals eines das andere überwinden wird. Die zirkulär angeordnete Komposition erinnert an die chinesische Symbolik des Yin und Yang und ruft die Vereinigung gegensätzlicher Kräfte in einem einzelnen, unendlichen System vor das innere Auge. [...] [Blake] glaubte nicht, dass eine dieser Gewalten einen ultimativen Sieg über die andere davontragen könnte; beide Male handelt es sich um Kräfte, die in eine materielle Welt gefallen sind, welche in Bezug auf Zeit und Raum endlich ist. Raum und vor allem Zeit wurden von Blake als ein Segen betrachtet [...] Unter den visuellen Motiven in Blakes Arbeiten sehen wir ein Ei, von einer Schlange umgeben – die Verkörperung der Zeit – und auch ein Ei, das von einem Halbmond gekrönt ist – was wiederum die weibliche

5 Marion Milner, "Psychoanalysis and Art", in: **Psychoanalysis and Contemporary Thought**, ed. J.D. Sutherland, Hogarth Press, London, 1958, S. 88.

> Repräsentation des Raumes in einer Welt der begrenzten Zeit darstellt."[6]

Meine exegetischen Spekulationen münden in einen esoterischen Kanal: Ich schlage vor, Uriel Mirons Wal als eine unbewusste Tiefen-Imago zu betrachten, welche die Zeit repräsentiert und mit dem Bild der Schlange verschmilzt (uns bereits bekannt von *Hiob* und Mirons Ausstellung aus dem Jahr 2004), um zu einem weiblichen Symbol zu werden.

Die Zeit in der Gestalt des schlangenartigen Wals repräsentiert die Gewalt, die mit dem Raum kämpft. Dieser Kampf ist endlos und entfaltet sich in der Kunst im Allgemeinen und in Uriel Mirons Arbeiten im Besonderen im Ausmaß der Erkenntnis der Vereinigung von männlichen und weiblichen Prinzipien in der menschlichen Psyche, man könnte auch sagen: von der Verbindung zwischen Bewusstsein und Unterbewusstem (der Wal). Mirons Wal ist in meinen Augen die Tiefenimago des Geheimnisses künstlerischer Schaffenskraft.

— —

„Alle meine Arbeiten stellen tierische Geschöpfe dar, eine Art Ménagerie" bestätigt Miron während unserer Unterhaltung und fügt hinzu: „Groteske, monströse eingebildete Freunde." Beim Durchblättern seines Skizzenbuches stoße ich zufällig auf vorbereitende Zeichnungen für Radierungen, versehen mit Randbemerkungen wie „Architektur eines Walbauchs" oder „zeichne Wale, schneide sie aus und bringe sie als Vernis Mou." Wiederum auf einer anderen Seite ist eine andere Idee notiert: „Wal aus Sackleinen – Flossen [...] weitere lange Zeichnung. Ein Wal." Dem Katalog zu seiner Ausstellung in Ein Harod (*Soft Corner*) hat Miron Reproduktionen von Radierungen

6 Miriam Or, **Die Reflektion von Blakes Vision in den Radierungen zum Buch Hiob**, Katalog, "Es war ein Mensch im Lande Uz: Die Illustrationen von William Blake zum Buch Hiob", Hrsg. Meira Perry-Lehmann (Jerusalem, Israel Museum, 1992, S. 52 [hebr.].

aus dem 19. Jahrhundert, welche Walfangszenen abbilden, beigefügt. Darunter ist auch eine, auf der ein riesiger Wal ein Boot voller Seeleute zum Kentern bringt, augenscheinlich eine Illustration aus *Moby Dick*. Auf dem Einband des Katalogs befindet sich eine semi-figurative Zeichnung von Miron, welche die Schwanzflosse eines Wals zeigt, der eine dicke Schicht des eigenen Fleisches abgezogen wird – aus der Serie der Zeichnungen, welche den Prozess des Abschälens und Abziehens zeigen. Diese Zeichnungen wurden auf das lange, schlangenähnliche Kissen gedruckt, womit Miron die Ausstellungsräume in Ein Harod umgeben hat. Diese bildeten auch die Grundlage für seine Animation *Stone, Sea, and Scissors* [S. 1-15].

Daher komme ich auf meine ursprüngliche Frage zurück: Woher stammt Mirons Bündnis mit dem Wal? Der Künstler selbst erzählt mir in einem Gespräch:

> „Diese Verbindung begann für mich mit einer bahnbrechenden Kindheitserfahrung: In New York, als ich drei Jahre alt war, schloss ich Bekanntschaft mit dem Museum of Natural History. Ein lebensgroßes Modell eines Blauwals hing von der Decke in der Mitte des Meerestierbereichs. Oben von einem Wal umgeben und von Delphinen in den Dioramen um mich herum – man fühlt sich, als ob man mit ihnen im Wasser wäre. Für mich, das kleine Kind, fühlte es sich gut an, kein Mensch zu sein, sondern ein Wasserwesen. Es gefiel mir, mich winzig klein zu fühlen."

Es ist nicht leicht, die Uterus-Assoziationen zu vermeiden, die ödipale Rückkehr in den Schoß der Mutter, deren Tod mit 32 Jahren, als der Künstler sieben Jahre alt war, mit Sicherheit eine prägende Erfahrung war:

> „Lange Zeit habe ich viele meiner Charakterzüge der traumatischen Erfahrung des Todes meiner Mutter zugeordnet; Melancholie, Pessimismus, Introvertiertheit und eine gewisse Tendenz, mich in einer Fantasiewelt zu bewegen. [...] Im

> Rückblick glaube ich, dass diese Züge eher ein angeborenes Substrat sind, das in meiner damalige Reaktion auf und meinem Umgang mit dem Verlust meiner Mutter zum Ausdruck kam, als ein Resultat desselben sind. Aber mit Sicherheit hat mich die Art und Weise geprägt, damit umzugehen, hat mich und meinen Lebensweg bestimmt."

Auf jeden Fall finden wir Sexualität und Tod verflochten, wie es immer der Fall ist (die Psychologie ist schließlich doch manchmal relevant für die Ästhetik): Der riesige, raumgreifende und umhüllende, uterusähnliche Wal ist gleichzeitig der gejagte, tote und gehäutete Wal. Möglicherweise ist es auch Melvilles grausamer, riesiger Wal. (In einem Essay über die Miniaturisierung verweist Miron auf die gemeinhin übliche Identifikation von gigantischen Proportionen mit Boshaftigkeit und Monstrosität).

Natürlich können wir dieses Motiv nicht von Mirons wiederkehrender Beschäftigung mit Knochen im Allgemeinen (siehe seine vielen Zeichnungen von Tierschädeln) und gigantischen Skeletten im Besonderen trennen. Dies gilt vor allem für die Transformation von häuslichen Möbeln in monumentale prähistorische Skelette: „Zoologische, paläontologische, evolutionäre Dinge faszinieren mich seit meiner Kindheit, und ich habe hierin auch eine recht gute Bildung. Während meines BA-Studiums besuchte ich Veranstaltungen in Zoologie und Biologie. Vor allem interessierte mich die Betrachtung von Wesen, die es nicht gegeben hat: Wie man ein Modell auf der Basis von sehr wenigen Überresten konstruieren kann".

Der Wal (und sein zoologischer und pseudo-zoologischer Verwandter in Mirons *Oeuvre*) ist also sowohl schützender mütterlicher Uterus als auch ein Skelettüberrest. Die Familie der Wale und der Tod sind, im Bewußtsein dieses Künstlers, untrennbar miteinander verbunden.
Im Jahr 2002 saß Miron mit seinem Bruder im Cafè „Moment" im Zentrum Jerusalems, als sich dort ein palästinensischer Terrorist in die Luft sprengte, es gab Tote und viele Verletzte. In Mirons Skizzenbuch

finden wir das Akronym „ZAKA“[7], daneben die Bemerkung „Vorhäute, Walmutationen“. (Dies ist eine Anspielung auf eine Beschreibung in *Moby Dick*, in welcher ein Seemann die Penishülle des Wals als Schutz während der Schlachterarbeiten und anschließenden Verarbeitung des Walkadavers trägt.) Die Entfernung der Vorhaut des jüdischen männlichen Säuglings bei der rituellen Beschneidung wird der mütterlich-traumatischen Walgestalt beigesellt.

— —

Es muss betont werden: Uriel Mirons künstlerisches Werk ist viel zu reich und komplex, um auf ein einzelnes Bild reduziert zu werden, wie es der Wal hier darstellt. Themen und Belange wie die Verbindung zwischen Hülle und Innenleben, Dekonstruktion und Vereinigung, (häusliche) Intimität und Zerstreuung, die Dualität des Modernen und Archaischen – all diese Aspekte spielen eine Rolle in Mirons vielen Zeichnungen, Drucken, Bildern und Skulpturen, die weit über den Inhalt meines Essays hinausgehen. Doch ich bestehe darauf: Sucht nach dem schwer zu fassenden Moby Dick, jagt ihn unter der Oberfläche von Uriel Mirons verschiedenen Arbeiten: Er ist dort, auch wenn er sich versteckt.

— —

> „Es gibt einen weiteren bedeutungsvollen Aspekt der Wale, der Dir vielleicht bewusst ist: die Erfahrung einer Walbeobachtung auf dem Meer ist ein kompletter Gegensatz zu meiner Kindheitsbegegnung mit der vollständigen, lebensgroßen, von der Museumsdecke hängenden Nachbildung. Bis auf wenige Spezies, die ganz aus dem Wasser springen können, sieht man von den großen Walen selten mehr als einen kleinen Teil aus dem Wasser ragen. Wenn der Wal durch die Wellen bricht,

7 Eine Abkürzung für „Zihui Kurbanot Ason“, Identifizierung der Opfer von Unglücksfällen, eine jüdische Organisation mit überwiegend religiös-orthodoxen Mitarbeitern, die Opfer und sterbliche Überreste von Unglücksschauplätzen und nach terroristischen Anschlägen bergen. (Anmerkung des Übersetzers)

taucht der vordere Teil bereits wieder unter die Wasseroberfläche, noch während andere Teile seines Körpers im Aufsteigen begriffen sind.

Dieses Phänomen – zusammen mit den lexikalen Einzigartigkeiten des Buches Hiob – hat dazu geführt, dass man das Tier früher für eine gigantische Meeresschlange gehalten hat. Die Idee, dass der Wal in seiner Bewegung die Grenze beider Welten – der konkret erfahrbaren und der imaginären – überschreitet, hat mich gefesselt. Je weniger der Wal seinen Körper über der Wasseroberfläche zeigt, umso mehr reizt das, was verborgen bleibt, unser Vorstellungsvermögen. Die Eisbergmetapher für das Unterbewusste findet hier ihr Echo (auch ich habe eine Eisberg-Serie gezeichnet), aber diese trifft nicht in Gänze zu; die freiliegende Spitze des Eisbergs ist immer dieselbe, während derjenige Teil des Wals, der gerade sichtbar ist, sich ständig ändert und bewegt. Um einen Teil von sich preiszugeben, muss der Wal andere verbergen [...] Mein Arbeitsprozess kann in Analogie zu dieser ständig wechselnden, teilweisen Freilegung gesehen werden, da ich weniger von einem allgemeinen Konzept eines Ganzen aus arbeite. Meist geschieht das nämlich durch die konsekutive Definition von einzelnen Teilen oder Seiten einer auftauchenden Gesamtheit.“

AUS DEM BESTEHENDEN:
Über die Drucke von Uriel Miron

Irena Gordon

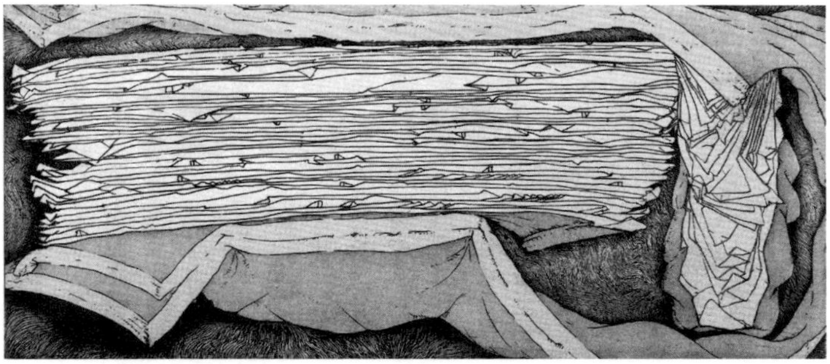

Uriel Miron, **Sättigungspunkt**, 2006, Radierung-Aquatinta

Wie entsteht ein Kunstwerk? Vielleicht kann man nicht unbedingt sagen, dass es aus dem Nichts erschaffen wird und der Punkt seiner Erschaffung auf dem Zeitstrahl von Vergangenheit-Gegenwart-Zukunft liegt? Vielleicht handelt es sich vielmehr um eine Erschaffung aus dem Bestehenden, die dort liegt, wo das Entstehen beginnt, indem eine wandelbare Vielfalt geschaffen wird? In den Drucken des Bildhauers Uriel Miron zeigt sich eine stetige Auseinandersetzung mit dem Entstehungsmoment der Kunst, eine Prüfung der Spannung zwischen Reaktion und Auslöser, es stellt sich im Ereignismoment die immer gleiche Frage.

Zwischen der Sichtbarmachung im Druck und dem Wirken des Künstlers vergeht Zeit, es entsteht eine Verzögerung. Was wir sehen, entstand in einem bestimmten Zeitraum, in den Lücken zwischen den einzelnen Entstehungsphasen eines Druckes. Miron betont den Reiz dieser Verzögerung in jedem seiner Werke und rückt sie dadurch ins

Zentrum des Geschehens. Diese Verzögerung ist ein Knotenpunkt der Schaffung aus dem Vorhandenen, aus dem bereits Existierenden, und Miron behauptet, sie sei es, die ein Kunstverständnis in den (evolutions-) biologischen Begriffen Darwins erst möglich mache. In Wahrheit handelt es sich dabei um einen Algorithmus, einen Mechanismus zur Erschaffung von Neuem aus inneren, zufälligen Veränderungen, die im Zusammentreffen mit der Überlebensherausforderung ganz ohne die Einwirkung einer zielgerichteten Kraft oder eines äußeren Einflusses weitergegeben oder ausgelöscht werden. Die Entstehung neuer Arten geschieht stets aus dem Bestehenden heraus, niemals aus dem Nichts. Im Vorwort zu seinem *Ursprung des deutschen Trauerspiels*, das die deutschen Tragödien des 17. Jahrhunderts analysiert, kritisiert Walter Benjamin den deutschen Historizismus, indem er den „Ursprung" des Genres in der Dialektik von Singularität und Wiederholung verortet. Benjamins Ansicht nach ist Geschichte kein stetiger Fort-Schritt, sondern Existenz innerhalb einer komprimierten, langsamen und intensiven Gegenwart, die eine Sammlung ausgestorbener Praktiken und Gegenstände bewahrt.[1] Jean-Luc Nancy stellt die These auf, dass das Wort „Erschaffung" in vielen Sprachen sowohl die Entstehung der Welt als auch die eines Kunstwerks beschreibt, denn die Entstehung der Welt und die eines Kunstwerks seien gleichermaßen Schaffen, das nicht etwas Neues zutage fördert, sondern aus dem Vorhandenen schöpft, eine Perspektive eröffnet, eine Erkenntnis, eine Abgrenzung und eine Separation verschiedener Bereiche.[2]

Gebrauchsspuren ist der Titel, den Miron einer seiner Radierungen gab, die 2007 im Druck-Workshop in Jerusalem entstanden. Der Name verweist auf die zufälligen Zeichen, die auf der Metallplatte waren, bevor er sie bearbeitete, und die ihm als Ausgangspunkt galten für

1 Walter Benjamin, **Der Ursprung des deutschen Trauerspiels**, Suhrkamp (1993), vgl. auch Beatrice Hansen, „Philosophy at Its Origin: Walter Benjamin's Prologue to the ‚Ursprung des deutschen Trauerspiels'", **MLN**, 110:4 (September 1995, Comparative Literature Issue), S. 811.

2 Jean-Luc Nancy, „Why are there Several Arts and not Just One?" **The Muses**, übers. v. Peggy Kamuf (Stanford, Stanford University Press, 1994), S. 19-20.

einen Kubus, der ein Haus oder auch eine Wellblechhütte darstellen kann, aus dem sich ein komprimierter, dichter Stoff ergießt. Diese Figur findet sich häufig in Mirons Zeichnungen und hat ihren Ursprung in Kindheitserinnerungen, gleichzeitig ist es eine architektonische, funktionale Figur, die die komplette Fläche auf dem Papier um sie herum strukturiert. Der Druck, der schließlich aus der Druckpresse herauskommt, ist ein neues Produkt – und doch lässt sich retrospektiv sagen, dass er mithilfe bereits existierender Zeichen entstanden ist, aus einem Vorhandenen, aber nicht Ex Nihilo, aus dem Nichts: „Was mich am Druck reizt, und gleichermaßen in der Bildhauerei, ist das Minimum, auf das ich reagieren kann oder das mich antreibt“[3], verrät Miron. Wie in der Bildhauerei kann auch hier jedes Element der Komposition für sich selbst stehen, als weiterer Schritt in einem Prozess mit ungewissem Ausgang.

In der Radierung *Sättigungspunkt* sieht man Druckdecken und Papierbögen übereinanderliegen, anders als sonst üblich sind sie verknittert und man sieht deutliche Gebrauchsspuren. Miron: „Hier geht es um Verzögerung und Stress. Die Themen für diese Radierungen entstanden durch meine Perspektive im Workshop, durch den Blick auf den Druck und auf die Druckpresse, auf den Abstand zwischen der Rolle und dem Druckbett, auf die Trockenvorrichtungen, in denen die feuchten Drucke unter einem Stapel von Kartons und Gewichten liegen, und auf die Abstände zwischen den Papieren, auf diese störenden Dinge, die dort eindringen und den Ablauf verzögern.“[4] Die Komplexität der bildlichen Vorstellung, der Druck zwischen Papierbögen und Druckplatten, durch den Räume und Wölbungen entstehen, die Bewegung, die durch die Spannung zwischen Oberfläche und Tiefe entsteht – über all das spannt sich die kritische Verflechtung von Material, Medium und der Repräsentation des einen durch das andere, eine Verflechtung, die es unmöglich macht, einen Ausgangspunkt zu

3 Uriel Miron im Gespräch mit der Verfasserin, Dezember 2014.

4 Uriel Miron zitiert nach Irena Gordon, **Eine geschlossen Schachtel mit Überraschungen**, Katalog, Ein Bummel im Land des Drucks (Jerusalem, Sadnat HaHedpes, 2007, S. 37 [hebr.].

identifizieren. Die Metaphorik einer Verschmelzung von Figürlichem und Funktionalem trägt das Versprechen von Erotik – Berührung und Anziehungskraft, das einmalige, vorübergehende Zusammentreffen lebendiger, beweglicher Körper. Für die Radierungen *Nox Noctis* und *Himmlische Falten* aus demselben Jahr verwendete Miron Motive aus dem „Shunga", erotische japanische Holzschnitte aus dem 19. Jahrhundert, die sich bei ihm in Schatten amorpher Gestalten verwandeln, die an Schnüren hängend miteinander tanzen.

Miron wählte den Namen für seine Ausstellung sehr bewusst: „Spiel auf Zeit", bzw. in direkter Übersetzung aus dem Hebräischen „Zeit ziehen", verweist auf das Verweilen als künstlerische Praxis und als konzeptionellen Prozess seiner Werke. Beim Betrachten seiner Radierungen wird deutlich, in welcher Form sich dieses Verweilen in seinen Werken manifestiert: In seinem Buch *Spinnengewebe* (Sadnat HaHedpes, Jerusalem, 2010) wählt er als Begleitung für das Gedicht „Irgend jemand" von Dan Pagis einen Siebdruck aus, den man als Serie von Farbexplosionen innerhalb einer Zeichnung von einem undefinierten Objekt beschreiben könnte – ein Duell zwischen dem Beherrschbaren und dem Unbeherrschbaren, aus dem schließlich das Kunstwerk entsteht. Gleich dem Gedicht liegt auch dem Bild ein innerer Konflikt zugrunde, der zwischen der Kontemplation des Gebildeten und dem spontanen Drang, zwischen Beständigkeit und Abbruch ausgetragen wird. In der Radierung *Pause* von 2007, die ebenfalls im Druck-Workshop entstand, sehen wir Decken zerknittert auf einer Druckplatte liegen, obenauf eine Druckerschürze, doch das Bild ist wegen seiner enormen Fleckigkeit undeutlich, wie ein Foto-Negativ, das plötzlich in Brand geraten ist. Die echte Pause von der Arbeit wird so zum Verweilen im Reiche der Vorstellungskraft, die Entwicklung der Linie wird angehalten, unterbrochen.
Der narrative Prozess in seinen Drucken wird ebenfalls verschoben. Die Werke kreisen um das Thema Gesamtheit / Summe aller Teile sowie Zentrum und Peripherie. Manchmal liegt ihr Beginn, wie bei den Siebdrucken, im Figurativen, das dann unterbrochen,

vervielfältigt oder in eine abstrakte Bildschicht aufgebrochen wird, die an seiner Existenz rüttelt. Manchmal hingegen, ein Beispiel sind die Radierungen, umfängt das Bild den Bogen vollständig, während seine Quellen dem Betrachter verborgen bleiben oder ganz offensichtlich sind, wie die Papierberge und die Decken für die Radierung. Doch wie auch in Mirons Skulpturen bleibt das Erzählerische erhalten; ohne zu viel Aufmerksamkeit zu erregen, besteht es in den Arbeiten fort, lugt mal hervor, mal lässt es sich zurückrufen, so wie in der Radierung *Weißes*: Dort steigt eine Landschaft aus auf der Leine zum Trocknen aufgehängter Wäsche vor dem Betrachter auf wie ein böser Geist oder eine entfernte Erinnerung, beweglich und doch nicht zu fassen.

Mirons erste Versuche in der Kunst waren Drucke. Im letzten Jahr seines Literaturstudiums an der Universität Yale in den USA belegte er einen Kurs und lernte das Herstellen von Radierungen, und ausgerechnet dieses Medium, das zeichnerische, bildhauerische und technische Elemente vereint, führte ihn weg von den Worten und hinein in die Tiefen der plastischen Kunst. Nach Beendigung seines Studiums kehrte er nach Israel zurück und immatrikulierte sich an der Kunsthochschule Bezalel: „Manchmal spüre ich in der Radierung eine Freiheit der Idee, die ich in keinem anderen grafischen Medium entdeckt habe, und das trotz – oder gerade wegen – der harten Arbeit und den vielen Arbeitsschritten, die hier notwendig sind. Während meines Studiums an der Bezalel-Hochschule hatte ich die meisten Ideen ausgerechnet für Radierungen, während die Zeichnungen eher funktional für mich waren. Einerseits forderte mich dort die Unwiderruflichkeit heraus und faszinierte mich, denn was einmal getan wurde, lässt sich weder rückgängig machen noch ändern, und andererseits ist auch das Verweilen zwischen den Arbeitsschritten sehr wichtig, für mich ist es eine Art Vorspiel, bevor es wirklich an den Druck geht."[5] Charakteristisch für Mirons frühe Skulpturen ist ihre Ähnlichkeit mit häuslichen Objekten, deren Innerstes nach

5 Ebd.

Außen gekehrt wurde und in denen der Raum als Zusammenspiel von Ausdehnung, Faltungen und dem veränderlichen Druck zwischen harten und weichen Materialschichten sichtbar wird. Das Ausmaß an Kompression seiner frühen Werke veränderte sich mit den Skulpturen der letzten Jahre: Die Materialschichten befreiten sich voneinander, sie wurden zu einer explodierenden Zeichnung in der Fläche, die den sie umgebenden Raum neu einfasst. Diese abstrakten Konstruktionen erwachen zum Leben, werden durch das Aufeinandertreffen ihrer Verbindungsglieder erschaffen, durch die Verzögerung, die notwendig wird, um die nächste Bewegung vorzubereiten. Die Metamorphose des bildhauerischen Schaffens von der stofflichen Montage hin zum luftigen, formenden Tanz im Raum hat ihren Ursprung in der Zweidimensionalität der Radierungen und Siebdrucke: Hier öffnet sich ein kleines Fenster, durch das wir erkennen können, woher Mirons Werke kommen, wie er den Schaffensprozess sichtbar macht: aus dem Bestehenden, aus den bereits existierenden Zeichen, aus dem Verweilen, aus der Sichtbarkeit der Leerräume, aus dem permanenten Jetzt.

The artist's studio, Tel Aviv, 2013

A BONE'S THROW: Near and Far in Uriel Miron's Work

Thomas Elsen

I first encountered Uriel Miron's work in Tel Aviv in 2011, at "Fresh Paint"—the local Art Fair. Following an invitation by Friederike Schir, he presented the sculpture *The Principle of Moments* in an artistic dialogue with German photographer Karen Irmer. Miron's sculpture left me equally impressed as part of its specific context and as an autonomous project. A first, brief visit to Miron's studio was followed by an intensive artistic and professional exchange which resulted in an invitation to show aspects of his work at H2—Zentrum für Gegenwartskunst (Center for Contemporary Art) in Augsburg.

The exhibition, which Miron named "A Bone's Throw," is a unique amalgamation of retrospective presentation with new sculptures especially made for this occasion, grounded in a spatial concept of his very own. In his three-dimensional work he engaged with the surrounding architecture and reacted subtly to the appealing yet demanding idiosyncracies of the exhibition space, to its proportions and visual axes, and to its historically industrial character as a turn-of-the-19th-century cotton mill. Together with the light-flooded expanse of H2 the references he generated seemed to produce, in their totality, a kind of walk-in landscape, a dynamic spatial whole that could be felt not only in each of the objects on show, but also in the effect of one's own measuring steps and circumnavigations therein. Miron's main sculptural interests are based on a kind of working around or with specific localities. Already in his past exhibitions and projects, place, time, and situation played as crucial a role in each concrete artistic presentation as did the desire to achieve the most effective *mise-en-scène* of a single sculptural object. Still, the form, complexity, and scope of the road embarked upon at the occasion of the Augsburg exhibition led the artist to enter a new experimental dimension as well.

If it is said of an artist that he draws in space, this often turns out to be merely a general description of an imagined relationship, not necessarily a reference to actual sculptural qualities. With Miron, this assessment refers directly to the characteristic features of his works and his method: where does a drawing end, where does the surrounding space begin, and vice versa. From early on, this problem and its solution have been of great relevance to the artist. "For me, everything has its origin in drawing. When I draw I always try not to impede the movement of my hand." Such a definition of drawing might in some ways be reminiscent of so-called automatic drawing. This "movement," however, should not be understood in the strict sense laid down by the surrealists of the 1920s who tried to depict emotional states through trancelike, uncontrolled artistic designs. Miron, rather, tries to free the line from its quasi-subordination to the pure visualization of an artistic idea, and to release it instead into three-dimensionality, into a sculptural form of its own. "I try to let the line have its own way, to draw whatever it likes." This applies not only to the spontaneity and directness of drawing in the classic sense, on cardboard or paper, which continue to be relevant media for Miron; the development of his sculptures functions in quite a similar way. Working in his studio alone, usually unassisted, his mind forms a kind of master plan, a three-dimensional course of lines. These, however, become more and more independent as the work proceeds. Miron, quite consciously and deliberately, contrives to surprise himself time and again.

At first glance, the forms resulting from this process seem easily recognizable as organic, as derived from nature or, more specifically, from the animal world. Upon closer scrutiny, however, and in relation to whatever conjectured zoological identification one might come up with, they make no truly empirical sense. Such a sense lies rather in a subsequent, virtually evolutionary step, where the natural form turns into art. That this process of taking on meaning happens almost imperceptibly, seemingly running without any foothold, is one of the particular accomplishments of this artist: it is the process-related principle of transformation itself that is visualized and materialized in the sculptural result.

A vivid example in this respect is *Cryptozoid Skeleton* (2009), a sculpture made of wood and plastic, hanging suspended from the ceiling. The installation evokes a prehistoric animal skeleton, a dinosaurian reptile or a fantastic sea-creature (regarding the special meaning of the whale image, see Gideon Ofrat's contribution to this catalogue). The suggested skeleton, which also brings to mind sharp, bristling fish-bones, is made of individually sawn and carved plastic stacking chairs, the likes of which you will find in street cafés of innumerable city-centers. For several years, Miron has been working with these synthetic elements. He uses the plastic chair as an original raw material for his art and has achieved astounding skill in manipulating it. His treatment of the plastic has reached such a degree of virtuosity that a spectator facing the objects has to look very closely indeed in order to detect the original stock of cheap ready-mades.

Each of the wooden "vertebrae" in between have been individually handmade by the artist, even if these are elements that rather give the impression of being pre-fabricated. Aside from the great accuracy and the elegantly curved form of the mythic creature embodied in the sculpture, a playful joy in experimentation is clearly discernible. As the artist himself puts it, this may appear as an unconscious "reconstruction of childhood memories in the form of objects." The readability of the concrete artifact is actually not based on a cultivated homage to an initially cited object, as is, for example, Gabriel Orozco's monumental sculpture *Dark Wave* (2006), but on a focused irritation instead: where *Dark Wave* initially seeks to impress through sheer dimension, only to evoke a poetic dialogue between culture and nature by means of subsequent auratic ornamentation, Miron sows confusion deliberately. He plays with a predominantly ironic commentary—directed less at the design of a single artist than at the concept of demonstrative intellectual flamboyance: the precision of his own actions notwithstanding, Miron plays with art's speculative component. Which is the back of a sculpture, which the front? Where in the work of others and where in his own?

The independence of the drawn line also plays a distinctive role in *Liquid Asset* (2008), a sculptural object made of wood and fabric. In this arrangement of an apparently harmless and haphazard order, beach-chair-like objects begin to evoke a singular dramaturgy of their own. The "beach-chairs," however, are rendered incapable of serving as such. Following closer scrutiny, this ensemble soon reveals itself as a functionless but aesthetically intricate bundle that only rudimentarily hints at the chairs' original purpose. Here, Miron offers a subtle play on the appearance of more or less familiar and banal objects, as we ordinarily perceive them, yet suggests how they could be presented in an entirely different way. The constructive absurdity that the artist unleashes here, in a work of art that seems to be struggling against itself, striving for some kind of order, gives further proof of his virtuosity of execution and dry, intelligent humor, perhaps alluding to peculiarities in his own existence as an artist as well as the eccentricities of ordinary life itself.

Perhaps the most immediate manifestation of the two-dimensional play of lines and its three-dimensional extension is to be found in the aforementioned work, *The Principle of Moments* (2010). In this painted wooden sculpture, the notion of "spatial drawing" becomes immediately evident. Here as well, the frame of a chair serves as a kind of serial module, as the basic form; this time, however, we see not a serial additive arrangement, but rather a kind of fanned-out composition of the basic forms that generates a highly individual, intertwined, three-dimensional line formation. In the eyes of the spectator, in the shifting interplay of light and shadow, its shape alternately compresses and opens up in dynamic fluctuations. The relation of tension between seriality and free form that expands only through the spectator's movements can be considered an integral part of the sculptural concept: a perfect viewpoint does not exist; in its stead there is the ever newly and differently configured constellation of space, object, viewer, and everything "in between." To put it differently: the observation accrued through the movements of the spectator becomes a mode of the sculpture itself.

Under the title *A Bone's Throw*, Miron has incorporated three sculptures, simultaneously delicate and monumental, also made of painted wood, into the whole ensemble of the exhibition. Deliberately, the artist has not assigned any single optically emphasized position for them; rather they form something like an emblematic grouping that encompasses the entire presentation in loose succession, describing a wide arc. Although their material poses as plastic, it is actually wood. Through the single effect of color, the spectator is led to a change of perception; he thinks he sees an artificial surface. Just as Miron turns plastic into artistic material with *Cryptozoid Skeleton*, here he conversely "hides" the noble impression of hardwood in favor of a make-believe artificial materiality. The single titles of the three sculptures, *Shake*, *Rattle*, and *Roll* quote (as in *The Principle of Moments*, the title of an album[1] by former Led Zeppelin singer Robert Plant), one of the best-known song titles[2] of rock history, but not for the sake of some superficial effect. Rather, as literary allusions they bear witness to the musical energy resonating throughout Miron's sculptural language. How successfully this energy communicates itself to the spectator can be shown so much better than in any theoretical attempt by the spontaneous reaction of an elderly lady and good friend who had never known Miron or his work before: "Das hat Schmiss!" (It's got swing!)

In his "intaglio paintings," as the artist calls the unique painting method of his own invention, the interpenetration of image and sculpture becomes a continual experiment. In these works, one can clearly discern the purely formalistic analogies to the *frottage* works of Max Ernst, whose oeuvre Miron studied intensively in the context of surrealism. Miron's own characteristic practice deals more with the image as a body in itself (compare with his 2013 text "intaglio paintings")

1 Robert Plant, 1983, Swan Song.

2 "Shake, Rattle and Roll," written and composed by Charles E. Calhoun, 1954; notable recordings: "Big" Joe Turner (1954), Bill Haley & His Comets (1954), Elvis Presley (1956).

and equally so with the ever-shifting border between two- and three-dimensional form and design: in a parallel genealogy, the image leads to sculpture and back, one is energized by the other. And as in his sculpture, where everything starts from drawing, everything in Miron's paintings emerges from its physical depth.

A Bone's Throw—many things seem infinitely far and yet only a stone's or a bone's throw away. In that sense, Miron's project cannot just be called an artistic reflection about the archaic and the ready-made, about the life-long dialectics of distance and proximity, of stability and fragility, or, finally, about the relation between normality and exception. Furthermore, the project represents a very complex artistic interim balance with a thoroughly open perspective. Miron's work appears here less as a carrier of concrete artistic meanings and messages than as a continuous, idiosyncratic and poetic attempt to grasp the world through art. This might very well be what gives his large-format sculptures such a breathtaking light-footedness, intent on handling density, weight, and character of materials as if their essential prerequisites hardly existed at all. Above all, this applies to a synoptic view, which seems to be a relevant method for their appreciation. Here, in the statuary stillness of his sculptures, their animated, dynamically moving and independent existence can be fully experienced. Most likely, it is precisely this quality that conveys a basic feeling for the play of invention and remembrance, for the knowledge of artistic role models and their continual dissolution, of keeping to a fixed plan or again deviating from it, a sense of the exceptional as a kind of existential norm, something that affects not only formal questions regarding art, but all of us. Miron's artistic designs and projects do not fight against all these divergent elements; they integrate them—probably as *the* creative momentum—into the artistic thinking and working-out of his own personal history. We await the next stage of his work with suspense.

PLAYING FOR TIME: The Surrealist Interval

Aya Lurie

Uriel Miron's one-person exhibition at Herzliya Museum of Contemporary Art spans three bodies of work created in recent years: the first, installed in the large hall, is a group of four large-scale, white, wooden sculptures (2013-15), whose unique shape is at once amorphous and minimalistic, relatively abstract, like a drawn line extending into the exhibition space; the second is the sculptural installation *Unraveling* (2012), comprised of manipulated monobloc plastic chairs—a project originally created at Super bien! greenhouse for contemporary art, Berlin; and the third is a series of works on paper—drawings and screenprints.

To a large extent, the white plastic chair is the point of departure for the three bodies of work; its presence in the works is conspicuous, and it may be regarded as a key thematic element. Other pieces of furniture and additional objects have also starred in Miron's oeuvre over the years (armchairs, recliners, and tables, alongside boats and oars, for instance); this essay, however, will focus on the white plastic chair through which Miron's *modus operandi* will be elucidated, and the way in which his manipulation of an object anchors his pursuit of psychic realms of anxieties and hidden urges, offering a springboard to a surreal world combining everyday and fantasy.

A common, generic, white plastic chair undergoes a series of metamorphoses, material transformations, cuts, stretches, and diverse formal distortions in Miron's works, which prevent it from fulfilling its designated function. The chair no longer contains the human body which it was supposed to accommodate comfortably; it ceases to function as a receptacle that provides one with a break for relaxation, nor does it echo the absent presence of one's body,[1] in manners familiar to us from the history of art. Of these we shall only mention the prevalence of the chair in minimalist and conceptual sculpture, such as in works by Donald Judd, Joel Shapiro, Richard Artschwager, and Scott Burton, and locally—in works by Michael Gross, Micha Ullman, and Nahum Tevet. In these, the fields of meaning derive from the particular choice of the material, form, and function of the treated chair; at the same time, the chair functions as a geometric object outlined in the space, signifying it through its quintessential symmetric presence. The compositional configurations of the chair's installation, which repeat identified linguistic enunciations in slight variations, function as language units in the syntactic-spatial context.

Miron's rounded and relatively pliant plastic chair strives to dissociate itself from these serious-minded historical affiliations, whether religious, design-related, or formalistic. Instead, it takes its place in the familiar, immediate present of our consumerist, industrialized setting, which serially produces more and more of the same available, inexpensive, transitory product. This chair is the opposite of the soft, heavy armchair, rich in textures, textiles, and decorations.[2] In this respect, the plastic chair, by its very presence, undermines the old social order. It eschews "rational" design whose essence is geometry and meticulous architectural analysis, as one may find in the chair-like constructions of such designers as Josef Hoffmann, member of the Vienna Secession, Gert Rietveld of De Stijl, or Eileen Gray in her designs for Le Corbusier. At the same time, this chair is not a typical feature of the global consumerist culture *à la* IKEA whose products are adapted and made accessible to the needs

1 See Mordechai Omer, cat. **The Presence of the Absent: The Empty Chair in Israeli Art**, trans. Richard Flantz (Tel Aviv University: The Genia Schreiber University Art Gallery, 1991).

2 The armchair was treated at length in Miron's previous exhibition at the Herzliya Museum of Contemporary Art, see cat. **Memento Mobili**, curator: Dalia Levin, trans. Dan Miron (Herzliya Museum of Contemporary Art, 2000). Miron's short story, "The Armchair," published in the catalogue, offers a quintessential illustration, as do other stories in the same catalogue addressing domestic furniture.

and economic capabilities of the bourgeois family today. The manipulated plastic chair in Miron's works may be found primarily in furnished apartments, balconies and gardens, or as backup for temporary "seating solutions" in improvised gatherings, office kitchens, and public waiting rooms; a chair that appears momentarily when the need arises—during festivities or times of mourning—only to return to storage. While this chair belongs to the repertoire of the contemporary home and office, and with it—to the built-in social-cultural order which inspires security, its presence is different and differentiated, and its status in the "furniture hierarchy" of the respectable home is relatively marginal.

Against this background, the chair as an object undergoes a significant metamorphosis in Miron's works, which cuts through the familiar domestic space to a remote surreal space. Manipulation of the artificial plastic chair reveals in it organic, zoological-botanical (bones, joints, plants, insects) and paleontological (parts of ancient skeletons of extinct animals) contexts and potentials. In the project *Unraveling*, the manipulated plastic chairs transform into living organisms in a greenhouse: perhaps plants wriggling in spiral movement, like a drawing in space, or possibly spindly, many-jointed insects. The project's Hebrew title may be interpreted twofold: on the one hand, it denotes deconstructing and untangling, on the other hand—solution and explanation. Has anything indeed been deciphered and explained here? Perhaps it is not accidental that the English title *Unraveling* is, in terms of sound, reminiscent of the notion of *un-revealing*, attesting to its secretive nature as an existential condition which ultimately disallows full, true exposure.

The white wooden sculptures presented in the large hall, whose origin and model was a white plastic chair, likewise exist as a Janus-faced entity combining the natural and the supernatural, as mechanical parts or fragments of a chassis—but also as bones and joints left from giant primordial animals, dinosaurs, mammoths, or whales. Miron himself formulates the rudiments of his praxis in evolutionary terms:

> I refer to natural selection and the demands of survival that operate on the time-scale of one generation, at the level of the individual

> organism rather than that of an entire species. The mutations that arise in a given individual should promote its immediate survival, but cannot look ahead or foresee future conditions and preserve those traits that will benefit future generations. In this respect, evolution by means of natural selection cannot be said to have a "direction" or a "goal." The direction that appears to have been taken by the evolution of a given species is, in fact, only a direction in retrospect—an accretion of *ad hoc* solutions that continue to succeed over time. This so-called "direction" is not only purely retrospective, but also almost entirely dictated by the past: mutations and variations indeed do occur at random and are either preserved or exterminated according to the degree to which they either promote or hinder the individual organism's ability to survive and produce offspring. The kinds of mutations and adaptations a given organism can "perform," however, are highly dependent on its current shape and structure (also arrived at from past mutations). Thus, the past "dictates" the future, to a certain degree, although without foreseeing it. Seen this way, the genetic makeup of each individual organism represents an unbroken chain of evolutionary events linking it directly to the first DNA molecule that ever existed, and each organism encapsulates its own, specific 4-billion-year-old genetic history. It is my aim to work in an analogous manner: the past—personal, private, or even accidental—of a particular formal kernel (a given fragment of plastic chair, for example) provides the starting point from which the piece develops by means of a sequence of *ad hoc* decisions. In this manner, the past of the artwork extends into the present.[3]

The engagement with transformations, highly prevalent in Surrealism, is discernible in Miron's paintings as well as in his drawings and prints: a pile of chairs resembles the skeleton of an ancient dinosaur [fig. 1]; a

3 Miron in conversation with the writer in preparation for the exhibition.

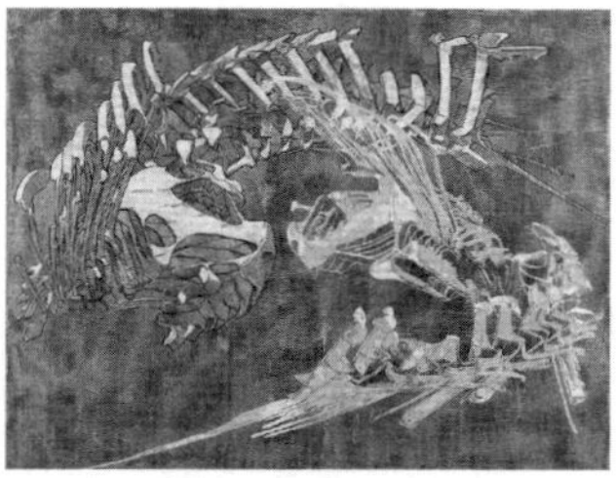

[1] ***In Medias Res***, 2008, intaglio painting (sanded acrylic on plywood)

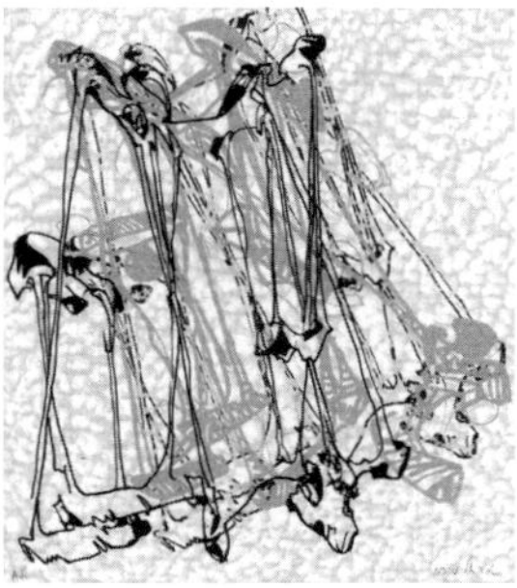

[2] Untitled, 2009, screenprint from the artist's book **A Spider's Cradle**

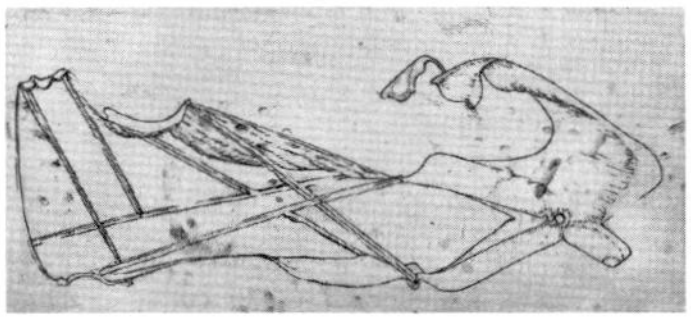

[3] Beach, 2007, sugar-lift aquatint

cluster of oars or buoys becomes a heap of bones [fig. 2], and a recliner morphs into the body of a whale [fig. 3]. The random blots of ink sprinkled on the paper surface, which have expanded under the impact of compressed air, call to mind strange creatures that send forth spidery limbs [fig. 4]. This work mode evokes the Surrealist's automatic painting, which evolves without premeditation. Hence it opens the door to the mysteries of the unconscious, or, at least, evades immediate judgment which may interrupt the flow of free work. The prints thus blend different types of elements as in an act of hybridization; Miron's rational explanation for his work process seems to be valid here alongside and in addition to the surrealistic option.

Often the original object, the one from which the prints and paintings began to unfold, transforms into an amorphous organic entity with a life of its own. This dual reality is also manifested in Miron's title for the artist book containing them, *A Spider's Cradle*,[4] which was borrowed from a poem by Dan Pagis, fusing the natural and the artificial, binding the known and protected with the dangerous and repugnant. One may contemplate such transformations, which animate

4 Uriel Miron, **A Spider's Cradle**, Jerusalem Print Workshop, 2010: screenprints after poems by Dan Pagis.

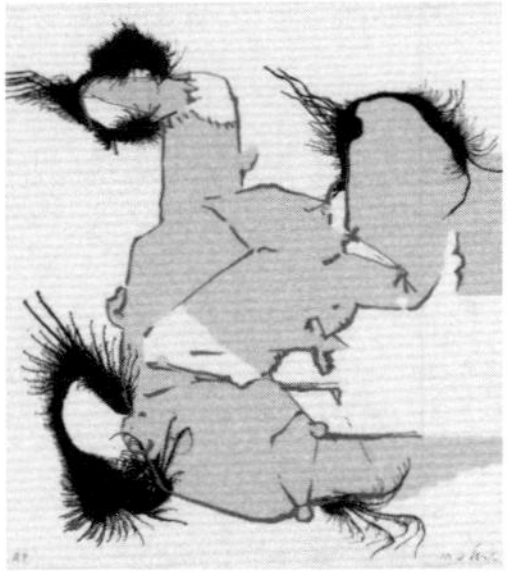

[4] Untitled, 2009, screenprint from the artist's book **A Spider's Cradle**

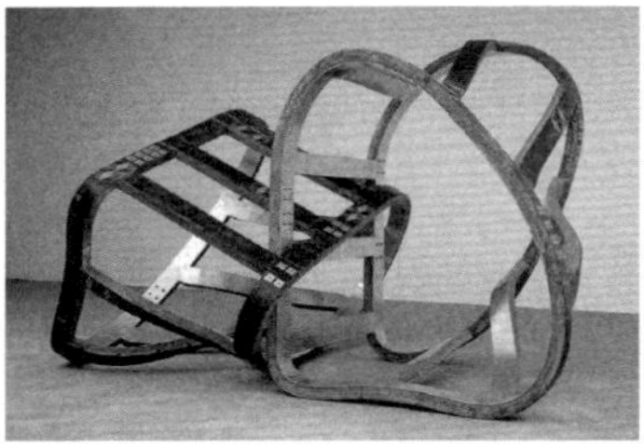

[5] Richard Deacon, **Lock**, 1990, laminated hardboard, aluminum, vinyl

the inert, in terms of the animist process described in developmental psychology—the developmental stage in which the child attributes the qualities of living, conscious creatures to inanimate objects, blurring the boundaries between the animate and inanimate worlds, between reality and imagination. The child, projecting his feelings on the external surroundings, does not distinguish between his inner world and the external reality, as the objects around him are personified with myriad human qualities. Among Pagis's poems which Miron illustrated are "In the Corner of My Twilight," "Where," and "Houses," which convey separation anxiety and existential fear in depictions of a collapsing house and furniture teeming with strange life, which only a work of art can confront. In "Where" and "Houses," the speaker finds refuge from this threatening, nullifying reality in art, in the form of the picture on the wall and the doodles of a pen whose lines sketched on the paper reconstitute the destroyed place. Similarly, in one of his own short stories, "Carpet and Piano," Miron describes an alluring, magical world consisting of a steaming lava pool, giant ferns, and a terrifying roller coaster, from the point of view of a child hiding under a piano, investing the carpet decorations with animate qualities, in his imagination.

Miron's work bespeaks a fascinating combination between trends prevalent in 1980s and 1990s British sculpture—in the work of such sculptors as Richard Deacon [fig. 5] and Tony Cragg, who emerged from 1970s conceptual and minimalist art, yet set out to re-imbue sculpture with the sense of materiality, manual labor, and a semi-figurative

[6] Alexander Calder, **Flamingo**, 1973, painted steel

metaphoric idiom—and the late work of surrealist sculptor Alexander Calder, who turned from the mobile sculptures he invented to the creation of "stabiles," static, large-scale metal outdoor sculptures [fig. 6]. In their organic-mechanical configuration, Calder's sculptures allude to human figures and animal forms precisely through their emphasis on the rows of rivets and the bolted joints underlying the construction. The spaces opened up between the sculpture's metallic outlines play a significant role in sketching the form as a whole, while the sculptures concurrently activate the space in which they are featured.

The four sculptures installed by Miron in the large hall correspond with Calder's surrealistic sculpture in this respect, since they invite one to approach, circle, and even enter them. The plastic chair which served as "origin" for their design, was left behind. The sculptures are made of wood, painted white, concealing the material's organic origin; the joints between the units were carefully sanded and finished, although they remain conspicuous and present. A conversation with Miron in this context disclosed the great impact left on him in his childhood by the giant dinosaur skeletons in New York's Museum of Natural History. That impact only increased as he later found out that most parts of these skeletons had been reconstructed (in fact, sculpted, invented) based on partial and fragmentary bone remains.[5] The encounter with the sculptures in the studio calls to mind a visit to a deserted burial site where parts of elephant bones or gigantic prehistoric beasts have remained scattered, like the skeleton of a giant whale of whose body only an implied contour remained.

5 A sculpture of a monumental saurian skeleton which Miron created from a pile of plastic chairs was presented in the exhibition "Natural History Museum" (2009) at Petach Tikva Museum of Art, curator: Revital Ben-Asher Peretz.

Perusal of another text by Miron, "The Dream of Miniaturization," reveals further latent strata. The text explores the urge motivating him to make objects deviate from their real scale, contemplating, for instance, what this practice does to the artist's self-image, and mainly—to the perception of self derived from the image of the body as a pre-social (childlike) entity differentiating itself from its surroundings for the first time. As Miron explains:

> First, it must be stated that miniaturization—or any work or play that involves miniature models of physical reality—is a source of pleasure, or more precisely: *jouissance*. This pleasure finds its earliest expression in children's games (so many of which feature miniaturized models of figures and edifices), and is so prevalent in children's stories [...].
>
> Miniaturization of the body and the self, as a fantasy, offers imaginary and psychic "advantages": capacity for knowing, access to forbidden places, invisibility, subversive agency, and a return to an infantile libidinal state where sexual energy is not organized within specific organ systems, but rather it is the whole body that acts as one erogenous zone or organ.
>
> A minuscule creature may acquire knowledge unavailable to larger beings. On one hand, it is literally "closer" to things, and able to penetrate their walls and partitions and apprehend their inner structure—like the tiny heroes of *The Borrowers*[6] that live literally within the walls and under the floorboards—as do mice, cockroaches, and other small animals—and who are privy to all the house's secrets. In the realm of scientific knowledge, many modern breakthroughs depend on improvements in the capacity to see closer and from within. Indeed, modern "fairy tales" often refer to the miniaturization of the body or the consciousness as a scientific tool. In the classic 1966 science-fiction film *Fantastic Voyage*, starring Raquel Welch, a team of adventurers

6 Mary Norton, **The Borrowers** (1952).

is shrunk to microscopic size and injected, along with their spacecraft-like vehicle, into the bloodstream of a diplomat to locate and neutralize the injury that threatens his life following an assassination attempt. Here miniaturization leads not only to enhanced knowledge, but also to radical agency—i.e. power—over the world (an invasive penetrating knowing in which body and consciousness become phallus or virus).

[...] In the imaginary miniaturized state, the entire body is transformed into a sexual organ, capable of penetrating forbidden places and of becoming a sex toy in the hands of "big ones"—both patently infantile sexual fantasies. It can return to the womb, become absorbed into the large desired body—or remain a foreign object, a trespasser, an agent of change (for better or worse). The fantasy of uterine return is realized to the point of parody and ridicule in Pedro Almodóvar's *Talk to Her* (*Hable con Ella*, 2002), in a scene that features a miniaturized man climbing over a woman's comatose body and entering her gigantic and patently artificial vagina.

[...] The *jouissance* derived from the construction or contemplation of miniature models, stems, in my opinion, from the imaginary stimulation of that primary-infantile fantasy we have of becoming a *homunculus*, subversive, penetrating, voyeuristic and knowing, who sees and comprehends things from up close and from the inside, escaping detection by "the big ones" and avoiding the realm of adult responsibility and commitment, a *homunculus* that throbs with unformed sexual energy. The *homunculus* exists on the cusp of physical differentiation from its environment. When it penetrates, invades, and alters the interstices of reality, it is a foreign object, distinct from the world and from society. When it is engulfed in the fantasy of return to the womb, it approaches the infantile point that precedes the formation of a separate self who knows itself as physically separated from the body of the world.

[...] The opposite kind of model—the blow-up, enlargement—may actually offer an even more acute realization of the fantasy:

> models that enlarge minute and even microscopic objects to monumental proportions bring the viewer (maker) even closer to the desired condition of self-miniaturization, since the self is not just dwarfed by the model, it is made even smaller with respect to the already minuscule object enlarged in the model.[7]

The changes in the scale of a given object, the setting, or the protagonist (the artist or the viewer) operating within it, are thus perceived in Miron's world through the psychoanalytical prism. Moreover, the title, *Playing for Time*, which the artist gave the group of large-scale sculptures he created, attests to his yearning for the dimension beyond the rational, to a liberated childlike-creative territory of super-reality controlled by the imagination. Time, which is an abstract concept, is described as a real material presence, elastic and malleable. As an image, *Playing for Time* conjured up Salvador Dalí's melting timepieces (in a painting whose title should be noted in this context, *The Persistence of Memory*), when the plastic chair is manipulated in the artist's studio by its stretching in the vise, or, to quote Miron's own words: "I systematically and deliberately avoid envisioning the final form of the piece while I am making it, in order to allow it to come into being through an organic and open-ended process." In the same spirit, the exhibition also reflects a state of consciousness and creativity that exists between times, between worlds and within them: the past is stretched into the present, conjoining with an evolving, near future, as the temporal joins the timeless, nature is bound up with culture, concept becomes matter, and the inanimate transforms into a living organic body.

7 Uriel Miron in an as yet unpublished essay.

LEVIATHAN

Gideon Ofrat

Uriel Miron is an excellent artist and I may be doing him a disservice in the following. This is because I intend to cast a line (a harpoon?) into the broad, deep sea of his work, hoping to catch a whale, and see everything refracted through its image. Perhaps, my line already had a whale dangling from its hook before I cast it... Therefore, let me make a bare breast of what is already common knowledge: The act of interpreting art reflects, first and foremost, on the interpreter himself.

I suppose the blame for my interpretative maneuver lies with the influence of Herman Melville's *Moby Dick*. The fact remains, in any case, that ever since my first encounter, in 2004, with Miron's work, I cannot, from the crow's nest of my mind, help but spy whales in it, and I cannot decide whether this "Captain Ahab" obsession is mine or the artist's.

I attribute my presumption of Miron's affinity with *Moby Dick* not just to Miron's broad education, but particularly to his undergraduate studies (completed 1990) in the literature department at Yale University. It is not far from Yale that Ahab's ship embarked upon its suicidal voyage, so magnificently recounted in the greatest of all American literary masterpieces. My first encounter with Miron's whale (in Melville's novel, the third encounter is the critical-fatal) occurred, as aforesaid, in 2004, in the collaborative project *Soft Corner*, which Miron co-curated (and in which he also exhibited) at the Museum of Art, Ein Harod. The exhibition halls were organized by a single object made by Miron—a very long, narrow "bumper" cushion that "unfolding, like a boa constrictor [...] endless, in principle [...] enfolds most of the museum within its coils. [...] Along Miron's hyper-extended cushion, printed images appear at regular intervals. Derived from a simplified whale-shape, these images mutate and evolve over the length of the entire piece. [...] The whale form, which has fascinated Miron since his childhood, appeared as a theme in his work as early as 1996, in a series of drawings of blubber, the thick layer of fat found under the skin of whales."[1]

I take note of the fact that the artist's preoccupation with cetaceans predates his studies in literature, and that the elongated "bumper cushion," with its mutating whale-prints, doesn't just resemble a giant serpent (and, as we shall see, the whale and the serpent were conflated by Western culture, responding to the book of Job), but this undulating cushion also originates in an infant's bed. The point is that somewhere in Miron's conscious or subconscious mind, infancy and the whale are interrelated.

My second encounter with Miron's whale occurred in the 2009 exhibition "Natural History Museum" at Petach Tikva Museum of Art. There, Miron installed a remarkable sculpture titled *Cryptozoid Skeleton* (deriving from cryptozoology, the para-scientific study of creatures, present or past, the existence of which has never been proven): a gigantic skeleton, composed of elaborate white vertebrae that are actually dismembered plastic chairs. A distinctly hydro-dynamic quality pervaded the form of this great, fictional prehistoric skeleton, compelling me at once—aside from my admiration of Miron's inspired marriage of form and material—to think of a monstrous whale. Even Miron's manner of carving up the plastic chairs reminded me of the Pequod's methodical butchery of the whale carcasses, elaborated on with such richness and detail in Melville's novel.

A year later, I found myself, for the third time, facing Miron's whale. From this point onward, there was no turning back: in 2010, on the lower level of Gallery 39, Tel Aviv, I saw Miron's solitary wooden sculpture installed among his "intaglio paintings" ("excavated" plywood panels, incised, inlaid with paint, then carved and sanded). *Sea Legs* was Miron's title for this sculpture [fig. 1], and I could not help but think of

1 Galia Bar Or, "Soft Corner," cat. **Uriel Miron: Soft Corner** (Ein Harod: Museum of Art, 2004).

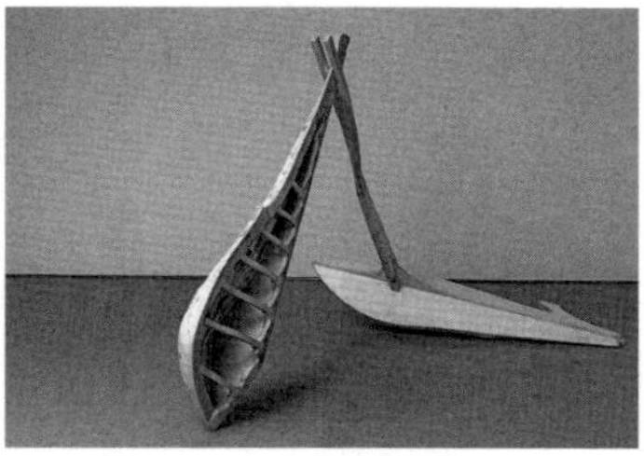
[1] Sea Legs, 2010, reclaimed wood and plywood

Captain Ahab's prosthesis, the same whale-bone that replaced the leg bitten off by the mighty Moby Dick. The sculpture itself—a binary form constructed of two main elements, one skeletal and the other full-bodied leaning one against the other (by means of an oar-like crutch!)—suggested both ancient and modern forms of either fish or sea-vessels. I willingly admit that literary allusions enrich my visual experience. Thus, Miron's consummate skill in evoking the volumetric tensions between exterior and interior spaces was augmented by my memory of Melville's whaling boats, sunk by the satanic Moby Dick.

Sometime later I visited Miron's South Tel Aviv studio. Thanks to that visit, I am aware that the "artist's intention" does not necessarily parallel the interpretation I have been expounding, and that, for example, the idea of "mutating" furniture is, for Miron, more central to the understanding of his work. Nevertheless, I am also aware that in 2008, at the Israeli Center for Digital Art, Holon, Miron exhibited an animation work entitled *Stone, Sea, and Scissors* (referring to the children's game rock-paper-scissors, but replacing the "paper" with the similar-sounding Hebrew word for "sea"). In the Center's online publication, *Maarav*, it was described as:

> A work consisting entirely of the distorted, folded, cut up, and multiplied image of a hunted whale. Miron's manipulation of the whale's image evokes the violence of whaling and its inherent paradox: the insulating blubber that enables cetaceans to survive in the water is the commodity for which mankind has hunted them to the brink of extinction. [...] In the 18th and 19th centuries, the harpooned whale was chained to the side of the ship and rotated as its skin and blubber were peeled off in long strips. [...] In response to this "peeling" process, Miron developed a series of

> over 200 drawings of whale forms undergoing transformations and mutations [...] combining into a sequence of extinction and growth.[2]

A sculpture entitled *Liquid Asset* (2008), based on the form of a beach chair, dismembered and transformed into a hydro-dynamic architectural form, thus announces, in its title, its connection with water. The title of yet another sculpture, *Memento Mobili* (1999)—another mutant chair—whispers in my ear not only "remember motion" or "remember furniture," but also "remember Mobi(li)." The last shreds of my doubt had been swept away: Miron's recurring tendency to translate domestic furnishings into hybrid "skeletons" or "fossils," simultaneously pseudo-archaic and modern, returns him and me to that gigantic whale.

Then I received an invitation to Miron's solo exhibition at the Augsburg Center for Contemporary Art, Germany, and in the attached photograph I could not help but recognize a tremendous bony construction of cetaceous remains. I am not certain what aroused this particular association: perhaps it was the manifestly osseous nature of the white form; perhaps the hydrodynamic flow of its lines; maybe it was just the sheer size of it. Probably, it was all of these. In any case, the fact remains that I hurried to retrieve my copy of *Moby Dick* and opened it to chapter CIV, "The Fossil Whale":

> Detached broken fossils of pre-adamite whales, fragments of their bones and skeletons, have within thirty years past [Melville's novel was first published in 1851; G.O.], at various intervals, been found [...]. But by far the most wonderful of all cetacean relics was the almost complete vast skeleton of an extinct monster, found in the year 1842, on the plantation of judge Creagh, in Alabama. The awe-stricken credulous slaves in the vicinity took it for the

2 Irena Gordon, "Skewed Reality," trans. Uriel Miron, **Maarav: Art-Culture-Media**, 7 April 2008, online magazine, http://www.maarav.org.il/archive/classes/PUPrintc1f7.html?id=1105&lang=HEB.

> bones of one of the fallen angels. [...] When I stand among these mighty Leviathan skeletons, skulls, tusks, jaws, ribs and vertebrae [...] I am, by a flood, borne back to that wondrous period.[3]

Miron's "osseous" sculpture appeared to me, indeed, to be one of the archaic fossils described by Melville, and all that remained for me was to wonder: where do Miron's cetaceous skeletons and remains take him? Why does he continue chasing this dead marine monster, living as he does on the shore of the patently whale-free Mediterranean? The renowned architect Frank Gehry once spoke of a childhood memory, of a live carp swimming in his grandmother's bathtub, a memory that reappears in many of his architectural designs. So, I ask again, what is Miron's relation to whales?

One apparent answer would rely on Jungian archetypes: "the monster," "the journey," "the hero"... I noted above that Miron's fascination with whales dates to his childhood, and that he has related this fascination to an infant's crib. It might therefore be quite reasonable to posit that his preoccupation with whales represents a subconscious regression to infancy and to fears of a predatory monster. But who am I to pry into the artist's psyche (keeping in mind analytical philosopher and aesthetician George Dickie's 1962 essay "Is Psychology Relevant to Aesthetics?")?[4]

I turn, therefore, to the history of art. Before me lies an album of illustrations to the Book of Job (1823) by William Blake, whose etchings and drawings were exhibited in 1992 at the Israel Museum, Jerusalem (curator: Meira Perry-Lehmann). In plate 15 I see the image of the creator lying on a cloud, directing, with an arm gesture, the attention of Job and his family to a lower circle enclosing a behemoth (hippopotamus) and a leviathan. In her essay "Psychoanalysis and Art," psychoanalyst Marion Milner interprets Blake's beasts as conscious

3 Herman Melville, **Moby Dick or The White Whale** (Boston: The St. Botolph Society, 1892 [rep. 1922]), p. 429.

4 George Dickie, "Is Psychology Relevant to Aesthetics?" **The Philosophical Review**, 71 (May 1962), pp. 285-302.

(Behemoth) and unconscious, and adds: "For Behemoth seems to be standing on the land, though looking rather angry about it; and Leviathan is certainly half submerged in water, and looks as if about to go under, though whether in a swoon of agony or ecstasy it is hard to say. The fact that Blake shows the Leviathan figure, the figure related to the depths, as half serpent, suggests that he does think of Leviathan as related to, if not identical with, a primitive form of the female aspect of the psyche; for it is the moon goddess who drives serpents."[5]

In another text published in the catalogue that accompanied the exhibition of Blake's Job illustrations at the Israel Museum, I read that the behemoth and leviathan in question stand for:

> infinite opposite elements, but in the print they are joined. The finger of god pointed at them indicates they are both His creations, and will therefore never overcome one another. The circular composition is reminiscent of Chinese yin-yang symbolism, evoking the unification of contrary forces in a single infinite system. [...Blake] believed neither of the forces could achieve ultimate victory; they were forces fallen into a material world of finite time and space. Space, however, and time in particular, were viewed by Blake as a boon. [...] Among the visual motifs in Blake's work we find an egg surrounded by a serpent—the embodiment of time—as well as an egg crowned with a half-moon—symbolizing the feminine representation of space in a world of finite time.[6]

My exegetical speculation leads to an esoteric channel: I propose to view Miron's whale as a subconscious depth-image representing time and fusing with the image of the serpent (familiar to us from Job and

5 Marion Milner, "Psychoanalysis and Art," in: John D. Sutherland (ed.), **Psychoanalysis and Contemporary Thought** (London: Hogarth Press, 1958), p. 88.

6 Miriam Or, "Blake's Vision as Reflected in His Engravings to the Book of Job," cat. **There was a Man in the Land of Oz: William Blake's Illustrations to the Book of Job**, ed. Meira Perry-Lehmann, trans. Nancy Benovitz (Jerusalem: The Israel Museum, 1992), p. 68.

from Miron's 2004 exhibition) as a symbol of the feminine. Time—the serpentine whale—is the force struggling with space. This is an endless struggle unfolding in art in general, and in Miron's artwork in particular—to the extent that creativity stems from the unification of masculine and feminine principles in the psyche, not to mention the coupling of the conscious and unconscious (the whale). Miron's whale, I propose, is a depth image of the secret of artistic creation.

— —

"All my works are creatures, a *menagerie* of sorts," Miron affirms in our conversation and adds, "like grotesque, monstrous imaginary friends." Leafing through Miron's sketchbook, I chance upon studies for etchings, accompanied by notes such as "architecture of a whale's belly," or "draw whales, cut them out, and transfer via soft ground," and on another page, an idea for an artwork: "Whale made of burlap—flippers. [...] An additional long drawing. One whale." In the catalogue of his exhibition at Ein Harod, "Soft Corner"[fig. 2], Miron included reproductions of 19th-century engravings of whaling scenes, among them a depiction of a huge whale overturning a boat full of sailors, apparently an illustration for *Moby Dick*. The catalogue's cover features a semi-figurative drawing by Miron of a whale's fluke combined with a thick, peeled-off layer of its own flesh—one of the series of "whale-peeling" drawings printed on the long narrow cushion with which Miron encircled the exhibition spaces at Ein Harod, and which formed the basis for his animation work *Stone, Sea , and Scissors*[pp. 1-15].

I return, therefore, to my initial question: What is the origin of Miron's covenant with the whale? In conversation, Miron elucidates:

> For me, the connection started with a seminal childhood experience: In New York, at the age of three, I made my first acquaintance with the Museum of Natural History. A life-sized model of a blue whale hung suspended in the center of the marine-animal hall. Surrounded by the whale above and porpoises in the dioramas around you—you feel like you're in the

> water with them. For me, as a child, imagining being not human but rather an aquatic animal—was pleasant indeed. I enjoyed feeling minuscule.

It is difficult to avoid the uterine associations, the Oedipal return to the womb of the mother, whose death at the age of 32, when the artist was seven years old, was certainly a formative experience for him:

> For many years I attributed all of my character traits to the traumatic experience of my mother's death: melancholy, pessimism, introversion, solitariness, and a tendency to dwell in imaginary worlds [...]. In retrospect, I am now convinced that these traits are an innate substrate, which was expressed in my reaction and adaptation to the loss of my mother, rather than a result of that loss, though certainly, coping with the loss shaped me and the course of my life.

In any case, we find sex and death entwined, as always (psychology is, after all, sometimes relevant to aesthetics): the huge, engulfing, enveloping womb-like whale is also the dead, hunted, skinned whale, and perhaps also Melville's cruel and monstrous whale (in an essay Miron wrote on the subject of miniaturization, he noted the common literary identification of gigantic proportions with malevolence and monstrousness). Of course, we cannot hold the theme in question apart from Miron's recurrent preoccupation with bones in general (see his numerous sketches of animal skulls) and gigantic skeletons in particular, and above all—with the transformation of domestic furniture into monumental prehistoric skeletons: "Zoology, paleontology, and evolutionary biology have always held a deep fascination for me, and I try to keep abreast of developments in these fields. As an undergraduate, I enrolled in biology and zoology courses but found myself increasingly interested in their speculative aspects, particularly regarding creatures that no longer exist or perhaps never did, and in the practice of 'reconstructing' an entire animal based on meager fragmentary remains."

[2] Soft Corner, 2004, inkjet print on cotton cushion with acrylene stuffing

The whale (and its zoological and crypto-zoological kin in Miron's oeuvre) is, therefore, both the protective maternal womb and skeletal remains. Cetaceans and death are, in the artist's consciousness, inextricably entwined. In 2002, while the artist and his brother were sitting in Café Moment in downtown Jerusalem, a Palestinian terrorist exploded himself in it, killing eleven people and injuring dozens. In Miron's sketchbook we find the acronym "ZAKA" (Heb. Disaster Victim Identification; an orthodox Jewish NGO dedicated to the evacuation of casualties and collection of physical remains from scenes of disasters and terrorist attacks), alongside the phrase "foreskins, whale mutations" (an allusion to a descriptive passage in *Moby Dick* wherein a sailor wears a whale's penile sheath as a protective garment during one of the messier stages of processing the whale's carcass). The ritual circumcision of the Jewish male infant is juxtaposed with the maternal-traumatic whale.

It must be emphasized: Miron's artistic oeuvre is far too rich and complex to lend itself to reduction to a single image, such as the whale. Themes and concerns, including the relationship between integument and interior, deconstruction and unification, (domestic) intimacy and dispersion, the duality of modern and archaic—all play a role in many of Miron's drawings, prints, paintings, and sculptures that go well beyond the argument of this essay. Nevertheless, I insist: search for the elusive Moby Dick, hunt for it beneath the surface of Miron's various works; it is there, even when hidden.

There is another significant aspect of whales, of which you may be aware: the experience of whale-watching at sea is the polar opposite of my childhood encounter with the whole, suspended life-sized whale model in the museum. Apart from a handful of species that leap entirely out of the water, most of the large whales never present more than a small portion of their bodies above the surface of the water. As the whale breaches, the front of its arching body plunges back in even as other parts are still ascending. This phenomenon—along with the lexical singularities in the Book of Job—has led to its being mistaken for a giant sea-serpent in earlier times. I am tantalized by the idea of the whale riding the boundary between two worlds—the concrete and the imaginary. The more fragmentary the portions of its body that the whale shows above water, the more its hidden parts arouse our imaginations. In this it echoes the iceberg metaphor for the subconscious (and I also have a series of iceberg drawings)—though not entirely; the exposed tip of the iceberg is always the same part, while the exposed part of the whale is always shifting and moving. To reveal one part of itself, the whale must perforce hide others [...]. My work process is analogous to this shifting partial exposure, since rather than work from a general conception of a whole, I usually work with the consecutive definition of different parts or sides of a gradually emerging whole.[7]

7 Uriel Miron in conversation with the author.

STARTING IN THE MIDDLE: On Uriel Miron's Prints

Irena Gordon

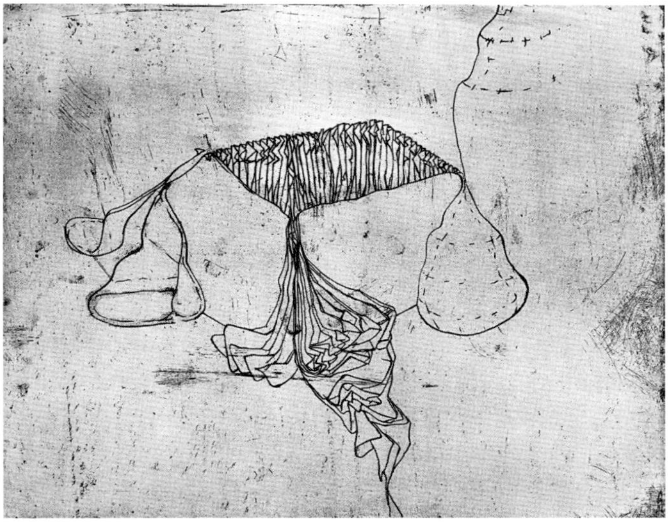

Wear and Tear, 2006, sugar-lift aquatint

What is the origin of the work of art? Perhaps it is not a point of formation *ex nihilo*, an emergence of something out of nothing, which is located on a linear continuum of past-present-future, but rather the formation of something out of something, at intersections which, in turn, generate a changing multiplicity? Sculptor Uriel Miron's prints reveal a constant engagement with art's moment of creation, an examination of the tension between response and emanation, as a question which is invoked anew in every moment of artistic practice.

Printmaking always entails a delay, due to the gap between the artist's action and the visible result. The print is generated within temporal intervals, in the gaps between one stage and the next. Miron harnesses the stimulus innate to this deferment, rendering it the main player in his work. Delay is a node of evolution out of something, from the already-existing. Miron maintains that it allows contemplation of the origin of art in terms of Darwin's natural selection and evolution—a principle which is, in fact, an algorithm, a mechanism for the creation of new things from random internal alterations which are either preserved or annihilated in their test of survival, without the intervention of a guiding power or some external force. The evolution of new species is always from existing ones, never out of nothing.

In his prologue for *The Origin of German Tragic Drama*, discussing 17th-century German tragedies (*Trauerspiel*), Walter Benjamin criticizes German historicism when he identifies the "origin" of this genre in the dialectic between singularity and repetition. History, he argues, is not a constant progression, but rather existence in a dense, slow, and intense present which spans a totality of repressed objects and practices.[1] Jean-Luc Nancy asserts that in many languages, the word "creation" refers to the creation of both art and the world, because like the work of art, the act of creation is not a presentation of something new, but rather the creation of an interstice, a spatial divide, a distinction, differentiation, and separation between different domains.[2]

Wear & Tear is Miron's title for a print he created in 2007 at the Jerusalem Print Workshop. It refers to arbitrary marks which had already existed on the metal plate before he started working on it, and served as a point of departure for a cube-like image, reminiscent of a house or a tin hut, from which dense and compact matter overflowed.

1 Walter Benjamin, **The Origin of German Tragic Drama**, trans. John Osborne (London & New York: Verso, 2003); see also Beatrice Hanssen, "Philosophy at Its Origin: Walter Benjamin's Prologue to the *Ursprung des deutschen Trauerspiels*," **MLN**, 110:4 (Sept. 1995, Comparative Literature Issue), p. 811.

2 Jean-Luc Nancy, "Why are there Several Arts and Not Just One?," **The Muses**, trans. Peggy Kamuf (Stanford: Stanford UP, 1994), pp. 19-20.

This image recurs in many of his drawings. It is associated with childhood memories, and is, at the same time, a functional architectural shape which structures the entire surface of the paper around it. A print emerging from the press is a new product. In retrospect, however, it was created from existing signs, from something already in the world, rather than from nothing: "What interests me in printmaking, and equally so in sculpture, is the minimum to which I can respond or which sets me in motion," says Miron.[3] Much like sculpture, each detail in the series can also stand on its own, as yet another step in the progressive commitment to an open-ended process.

The etching *Saturation Point* shows paper sheets and printmaking blankets placed one on the other, but in contrast to the prevailing norms of the workshop, they are creased, clearly displaying signs of use. According to Miron: "It is a matter of delay and pressure. The themes of the current etchings arose from progress of my gaze throughout the workshop, drawn to the pressure of the press, to the gap between the cylinder and the bed, to the drying racks on which the wet prints rest under a pile of cardboard and weights, to the spaces between the paper sheets, and to the disturbing, stimulating thing that comes between them."[4] The density of the image, the pressure between the paper sheets and the blankets, that make them buckle and separate, the movement resulting from the tension between flatness and depth—all these attest to the crucial grip of matter, medium, and representation on one another, a hold which makes it impossible to discern a single starting point. This image of formal and functional fusion carries an eroticism of touch and passion, of the transient momentary encounters between living, writhing bodies. In the etchings *Nox Noctis* and *Heavenly Wrinkles* from the same year, motifs from *shunga*, 19th century erotic Japanese woodcuts, transformed into the silhouettes of amorphous forms hanging by threads, dancing before each other.

3 Miron in conversation with the writer, December 2014.

4 Miron quoted in: Irena Gordon, "A Closed Treasure Chest," cat. **Wanderings in the Print Space** (Jerusalem Print Workshop, 2007), p. 37.

The title of the exhibition, "Playing for Time," indicates the centrality of delay as an artistic practice and a conceptual move in Miron's work. Close observation of his prints exposes the manners in which deferment takes form in his oeuvre: one may describe the screenprint juxtaposed with Dan Pagis's poem "Someone" in Miron's artist's book *A Spider's Cradle* (Jerusalem Print Workshop, 2010) as moments of random explosions of black within the drawn construction of some object—a power struggle between the controllable and the intractable, from which the work of art erupts. Like the poem, the work is based on an internal conflict between rational construction and a spontaneous urge, between continuity and cessation. The etching *A Breather* from 2007, also created at the Jerusalem Print Workshop, portrays printmaking blankets rolled back on the press and a printmaking apron cast over them, but the image is distorted with an outburst of raw stains, as in a photographic negative that was suddenly burned. The real break in the work process on the print becomes a delay in the emergence of the image. The line's development is arrested, disrupted.

By the same token, the narrative process in Miron's prints is also suspended. The prints focus on the relationship between the whole and its parts, and between center and periphery. At times (as in the screenprints) they originate in a figurative image, which is subsequently distorted or duplicated and incorporated into an elusive layer of abstract drawing which undermines its very existence; at other times (as in the etchings), the image captures the entire space of the print, while its origins lie in a gaze at either the invisible or the obvious, such as piles of paper or the printmaking blankets. As in his sculptures, however, the narrativity in Miron's prints does not dissolve; it remains embedded in the works without fully divulging itself, at once bursting forth and restrained, as in the print *Whites* in which a landscape of laundry hanging on a clothesline emerges as a specter or a distant memory, jolting yet inconceivable.

Miron's serious commitment to art-making began with printmaking. During the last year of his literature studies at Yale University he took an elective course in etching, and this particular medium, with its drawing, and its sculptural and technical aspects, prompted him to leave the words behind and delve into visual art. After graduating, he returned to Israel and enrolled in art studies at the Bezalel Academy of Arts and Design:

> "In etching, unlike any other graphic medium, I often feel a special conceptual freedom, despite—or perhaps because of—the hard work and the multiple stages required. During my studies at Bezalel my ideas came in etching, whereas drawing was functional. On the one hand, I am challenged and intrigued by the inability to erase and make changes in etching; on the other hand, the delay between phases is important; it is a type of foreplay that precedes the print."[5]

Miron's early sculptures resembled domestic objects whose entrails were laid bare, revealing the space as a relationship of gaps, folds, and pressures between layers of hard and soft materials. The density that characterized them has metamorphosed in his sculptures of recent years: the material strata have broken loose from one another, and transformed into an erupting drawing which re-drafts the space around it. These abstract, vibrant constructions are generated in the junctures of their limbs, in the delays required to conceive the next move. The sculptural metamorphoses which have taken place between the dense convergence of materials and the dance of gossamer forms in space, are anchored in the two-dimensionality of the etchings and screenprints. These open a window to the origin of Miron's works, which lies in the process of revelation from something, from the already existing signs, from delay, from the visibility of the gaps and encounters that is made into a continuous present.

5 Ibid.

URIEL MIRON
BORN IN TEL AVIV, 1968
LIVES AND WORKS IN TEL AVIV

1986-90 B.A. in Literature (*magna cum laude* with distinction in the major), Yale University, New Haven, Connecticut
1990-95 B.F.A. (*cum laude*), Department of Fine Arts, Bezalel Academy of Arts and Design, Jerusalem
1996-98 M.F.A. (*cum laude*), School of Visual Arts, New York
Since 1999 Senior lecturer of art and design, Shenkar College of Engineering, Design, and Art, Ramat Gan, Israel

—— **ONE-PERSON EXHIBITIONS**

1996 Tova Osman Gallery, Tel Aviv
- The Art Gallery at the Jerusalem Center for the Visual Arts (JCVA), Morasha, Jerusalem
2000 "Memento Mobili," Herzliya Museum of Contemporary Art, Herzliya, Israel; curator: Dalia Levin (cat.)
2002 "Cross-bred," The Art Gallery, Kibbutz Nachshon, Israel; curator: Yael Keini
2004-05 "Soft Corner," Museum of Art, Ein Harod, Israel; curators: Uriel Miron, Galia Bar Or (cat.)
2010 "Footwork" (with Hilla Ben Ari), Gallery 39, Tel Aviv; curator: Revital Ben-Asher Peretz
2011 "The Principle of Moments" (with Karen Irmer), project organized by Schir Art Concepts, Fresh Paint 4 art fair, Tel Aviv; curator: Friederike Schir
2012 "Unraveling," Super Bien! Gewächshaus für zeitgenössische Kunst, Berlin; curator: Anne Katrin Stork
2013 "A Bone's Throw," H2—Zentrum für Gegenwartskunst, Augsburg, Germany; curator: Dr. Thomas Elsen (cat.)

—

SELECTED GROUP EXHIBITIONS

1998	"Good Kids, Bad Kids: 'Childliness' in Israeli Art," The Israel Museum, Jerusalem; curators: Yigal Zalmona, Nirith Nelson
2001	"Traces: Contemporary Drawing in Israel," The First Drawing Biennial, Anna Ticho House, Jerusalem; curator: Ilan Wizgan (cat.)
-	"com.art," Bloomfield Science Museum, Jerusalem; curator: Nirith Nelson
-	"Men at Home," The Israel Pollak (Kalisher) Gallery, Tel Aviv; curator: Naomi Aviv
2002	"The Boundaries of Sculpture: Israeli Sculpture between Art, Science and Technology," The Open Museum, Omer, Israel; curators: Ruthi Ofek, Haim Maor, Haim Finkelstein (cat.)
2003	"Why Not: Some Aspects of Contemporary Sculpture," The Art Gallery, University of Haifa; curator: Avishay Ayal (cat.)
2004	"Omanut Ha'aretz: Last Dance," Reading Power Station Compound, Tel Aviv; curator: Ruth Direktor
2005	"Dead End," Museum on the Seam, Jerusalem; curator: Raphie Etgar (cat.)
-	"Following Shemi," The Art Gallery, University of Haifa; curator: Sharon Poliakine
2006	"Mini Israel: 70 Models, 45 Artists, One Space," The Israel Museum, Jerusalem; curator: Larry Abramson (cat.)
-	"Prizes in Art from the Ministry of Education, Culture, and Sport: 2005," The Israel Museum, Jerusalem; curator: Amitai Mendelsohn (cat.)
2007	"Wanderings in the Print Space," Jerusalem Print Workshop; curator: Irena Gordon (cat.)
-	"One and All," Jerusalem Artists' House; curator: Timna Seligman (cat.)
2008	"Dirty White," Florentin 45 Contemporary Art Space, Tel Aviv; curators: Gilat Nadivi, Irena Gordon (cat.)
-	"Near and Apparent – Connections and Contexts: A Selection from the Benno Kalev Collection," The Open Museum, Tefen Industrial Park, Israel; curator: Benno Kalev (cat.)

–	"Twisted Reality," The Israeli Center for Digital Art, Holon, Israel; curators: Irena Gordon, Yoav Raban (cat.)
2009	"What Does Sculpture Want?" Bezalel Salame Gallery, Tel Aviv; curator: Ruth Direktor
–	"Launching Point: From Benno Kalev's Collection," Gordon Gallery, Tel Aviv; curator: Benno Kalev
–	"Annual Report," Kayma Gallery, Tel Aviv; curator: Philippe Brandes
–	"Standard Deviation," The Center for Contemporary Art (CCA), Tel Aviv; curator: Maayan Sheleff (cat.)
–	"Natural History Museum," Petach Tikva Museum of Art, Israel; curator: Revital Ben-Asher Peretz (cat.)
–	"Mani's Haunted House," as part of Fresh Paint 2 art fair, Mani House, Tel Aviv; curators: Yifat Gurion, Matan Daube
–	"Abstract Now," Kayma Gallery, Tel Aviv; curator: Yuval Kedar
2010	"The Problem with the Horizon," public sculpture project, Bat Yam promenade, Bat Yam, Israel; curator: Maayan Amir
–	"10 Artist Books," Jerusalem Print Workshop; curator: Irena Gordon (cat.)
2010-11	"Flood," as part of "Traces IV / Caught in the Thicket: The Fourth Biennale for Drawing in Israel," Jerusalem Print Workshop; curator: Irena Gordon (cat.)
2011	"Still Point," Jerusalem Print Workshop; curator: Irena Gordon (cat.)
2012	Dan Gallery, Tel Aviv, as part of Fresh Paint 5 art fair; curator: Ravit Harari
2013	"Print Time: Works from the Jerusalem Print Workshop and the Gottesman Etching Center, Kibbutz Cabri," The Open Museum, Tefen, Israel; curators: Ruthi Ofek, Irena Gordon (cat.)
–	"Games in Light and Shadow," Bloomfield Science Museum, Jerusalem; curator: Dea Brockman
–	"The Eye of the Blackbird," The Artists' House, Tel Aviv; curator: Irena Gordon

2014	"The 26th UBE Sculpture Biennale," UBE Tokiwa Museum, Japan
-	"The Winners 2013: Ministry of Culture and Sport Awards for Arts and Design exhibition," Haifa Museum of Art; curator: Orit Bulgaru (cat.)

—

SCHOLARSHIPS AND AWARDS

1989	Grant for a photography project in Tel Aviv, Dorot Foundation, Rhode Island, USA
1995	Excellence Award, Department of Fine Arts, Bezalel Academy of Arts and Design, Jerusalem
1996-98	Faculty Committee Scholarship, School of Visual Arts, New York
2002	The Bernard and Gusti Reder Sculpture Award, Herzliya, Israel
2005	Creativity Encouragement Award, The Israeli Ministry of Education, Culture, and Sports
2009	Grant from the Joshua Rabinovich Foundation for the Arts, Tel Aviv
2012	Grant for a solo exhibition in Germany, Israel Lottery Council for the Arts
2013	The Minister of Culture and Sport Prize for the Plastic Arts

A BONE'S THROW
H2 – Zentrum für Gegenwartskunst,
Augsburg, Germany, 2013

A Bone's Throw 3 (Roll), 2013
Painted beech-wood
כמטחווי עצם 3 (גלגֵל), 2013
עץ בוק צבוע
240×150×140

מושך זמן

מוזיאון הרצליה לאמנות עכשווית, 2015

מראות הצבה
Installation views

מושך זמן, 2015
עץ בוק צבוע
Playing for Time, 2015
Painted beech-wood
307×702×290

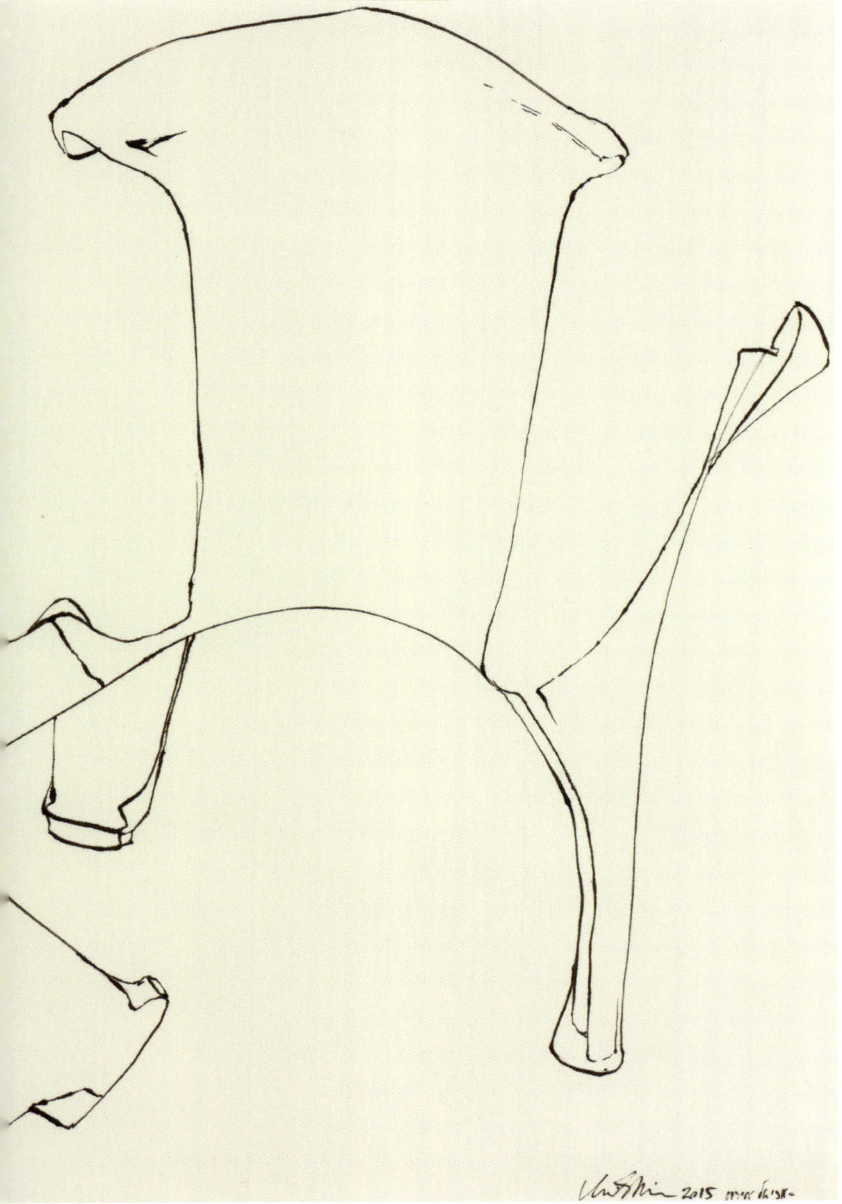

ללא כותרת, 2015
דיו על נייר
Untitled, 2015
Ink on paper
47×70

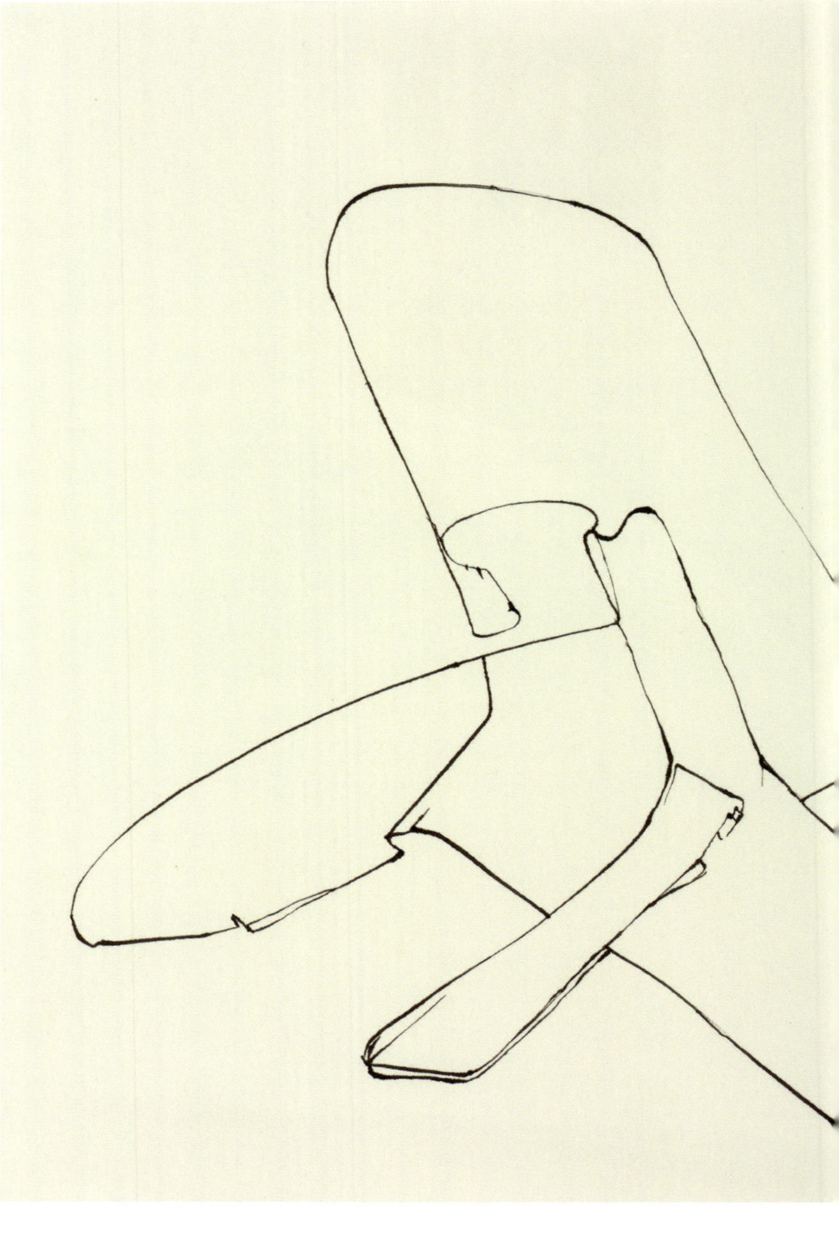

בחזית / Front:

כמטחווי עצם 1 (נעֵר), 2013
עץ בוק צבוע

A Bone's Throw 1 (Shake), 2013
Painted beech-wood
132×590×233

כמטחווי עצם 2 (שקשק), 2013
עץ בוק צבוע

A Bone’s Throw 2 (Rattle), 2013
Painted beech-wood
316×337×295

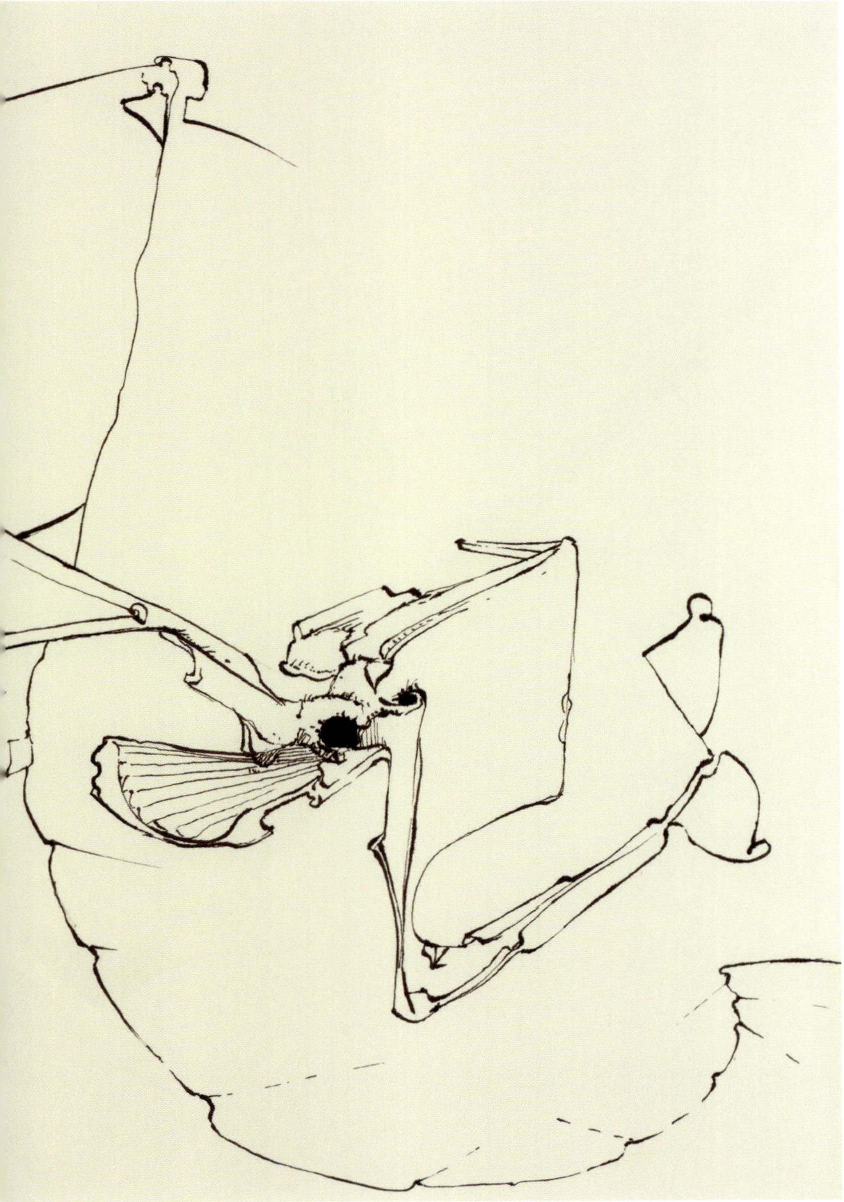

ללא כותרת, 2015
דיו על נייר
Untitled, 2015
Ink on paper
47×70

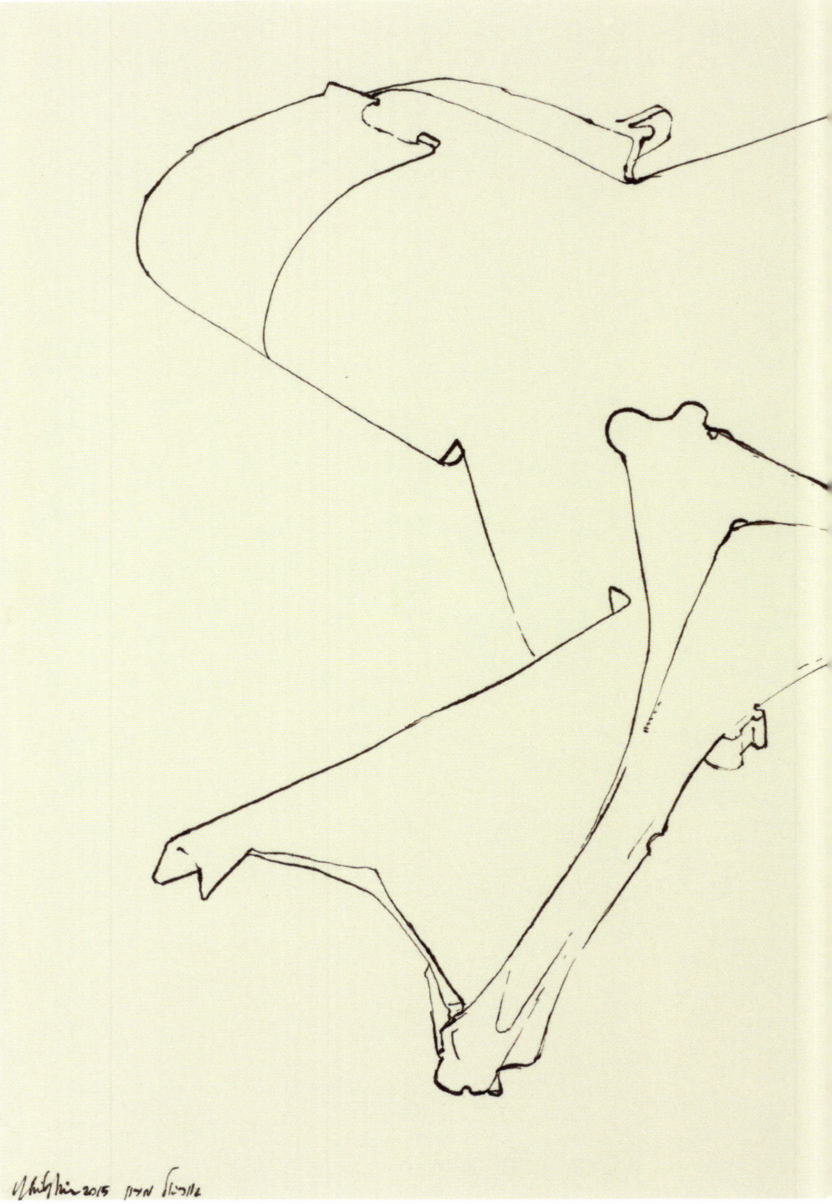
2015

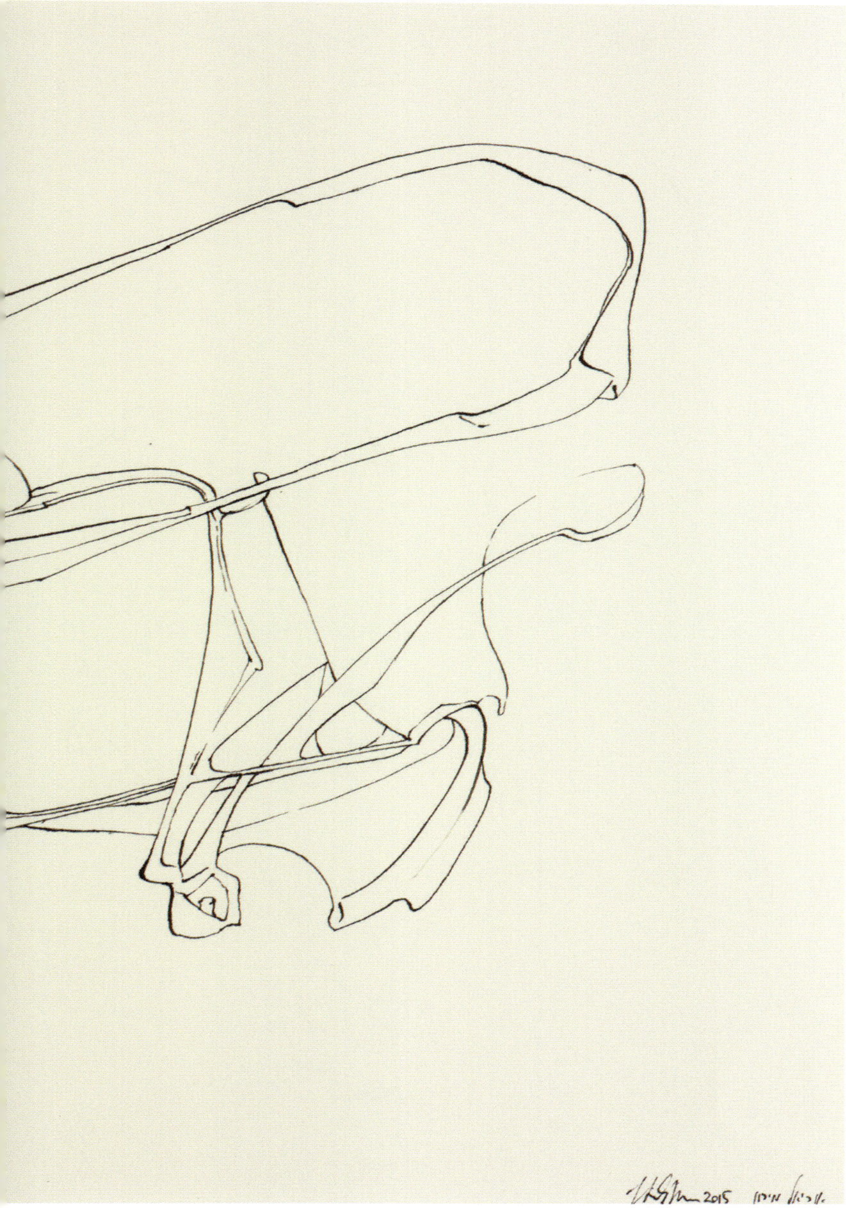

ללא כותרת, 2015
דיו על נייר
Untitled, 2015
Ink on paper
52×75

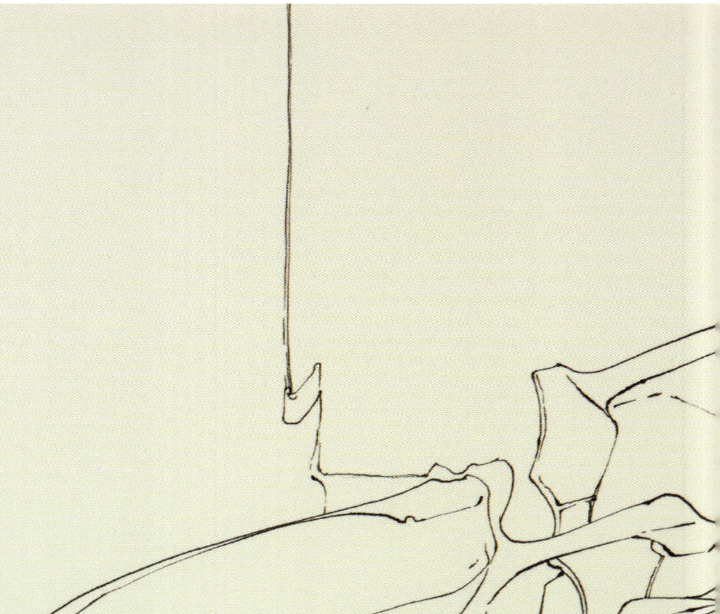

פְּרימה, 2012
מיצב פיסולי מכיסאות פלסטיק מנוסרים (מראה תצוגה
ב־Super Bien! – חממה לאמנות עכשווית, ברלין)

Unraveling, 2012
Sculptural installation from carved plastic chairs
(installation view at Super Bien! Greenhouse for
Contemporary Art, Berlin)

PLAYING FOR TIME
Herzliya Museum of Contemporary Art,
Herzliya, Israel, 2015

אוריאל מירון

מושך זמן
כמטחווי עצם

לזכר אמי יעל

מוזיאון הרצליה לאמנות עכשווית
Herzliya Museum of Contemporary Art

הקטלוג מלווה את התערוכות

אוריאל מירון: כמטחווי עצם
H2 – מרכז לאמנות עכשווית, אאוגסבורג, גרמניה
19ביולי – 22 בספטמבר 2013
אוצר: ד"ר תומס אלזן
סיוע אדמיניסטרטיבי וטכני: פאול גיזלר, בן רסל, הרברט וורלה
יחסי ציבור: טילו גראבך

אוריאל מירון: מושך זמן
מוזיאון הרצליה לאמנות עכשווית
14 בפברואר – 11 באפריל 2015
אוצרות: ד"ר איה לוריא וטל בכלר
מנהלת אדמיניסטרטיבית: תמי זילברט
מזכירת המוזיאון: רויטל אייל
אב־בית: יוסף אקלה
עזרה בהקמה: אורי בצון
אסיסטנטית: טל בר און

קטלוג
קונספט, עיצוב והפקה: מיכל סהר
עיצוב גרפי: נעם חן
עריכת טקסט: דפנה רז
תרגום ועריכה אנגלית: דריה קסובסקי
תרגום ועריכה גרמנית: אליס מרוז
תרגומים נוספים לאנגלית: כריסטינה הירזון (אלזן),
אוריאל מירון (עפרת)
תרגום נוסף לגרמנית: כריסטינה הירזון (עפרת)
תרגום מגרמנית לעברית: אוריאל מירון
צילום: פליקס ויינולד (אאוגסבורג), אלעד שריג (הרצליה), אוריאל מירון,
אריק קילמניק (הדפסים)
ניהול פרויקט: גיל גבעוני
הדפסה וכריכה: ע.ר. הדפסות בע"מ, תל־אביב

תודות אישיות: קארן אירמר, דן מירון, ססה סרבר, אולריקה־קלאודיה
פולצר, ארנה פיורנטיני, איווט צאואר, אינגה רומברג, אילן שוורץ, דן שחם

המידות נתונות בסנטימטרים, עומק × רוחב × גובה

Stadtsparkasse Augsburg
kunstsammlungen museen augsburg
Stadt Augsburg

מושך זמן:
המְרווח הסוריאליסטי
איה לוריא
49

כמטחווי עצם:
קרוב ורחוק בעבודתו של אוריאל מירון
תומס אלזן
57

לוויתן
גדעון עפרת
62

מתוך הקיים:
על ההדפסים של אוריאל מירון
אירנה גורדון
69

ציונים ביוגרפיים
74

–

מושך זמן
מוזיאון הרצליה לאמנות עכשווית, 2015
17 (←)

כמטחווי עצם
H2 – מרכז לאמנות עכשווית, אאוגסבורג, גרמניה, 2013
81 E (→)

מושך זמן:
המִרווח הסוריאליסטי

איה לוריא

תערוכת היחיד של אוריאל מירון במוזיאון הרצליה לאמנות עכשווית כוללת שלושה גופי עבודות שנוצרו בשנים האחרונות: הראשון, המוצב באולם הגדול, הוא קבוצה פיסולית של ארבעה פסלי עץ לבנים וגדולי ממדים (2013-15), שצורתם הייחודית אמורפית ומינימליסטית כאחת, מופשטת יחסית, כקו רישומי הנמתח ונמשך בחלל התצוגה; השני הוא המיצב הפיסולי פְּרימה (2012), הבנוי מכיסאות "כתר פלסטיק" מטופלים – פרויקט שנוצר במקור לחממה לאמנות עכשווית בברלין; והשלישי הוא סדרת עבודות על נייר – רישומים והדפסי רשת.

במידה רבה, כיסא הפלסטיק הלבן הוא נקודת המוצא לשלושת גופי העבודות; נוכחותו בעבודות בולטת, ואפשר לראות בו אלמנט תימטי מרכזי. יש לציין שלאורך השנים מופיעים בעבודותיו של מירון רהיטים וחפצים נוספים (כורסאות, כיסאות נוח, שולחנות, לצד סירות ומשוטים, למשל) – אך מאמר זה יתמקד בכיסא הפלסטיק הלבן; דרכו תתברר שיטת הפעולה של מירון, וייחשף האופן שבו הטיפול באובייקט מעגן את התחקותו אחר מרחבי נפש של חרדות ודחפים כמוסים ומשמש מקפצה לעולם על־מציאותי, עולם המעֻרב יומיום ופנטזיה.

כיסא "כתר פלסטיק" לבן, נפוץ וגנרי, עובר בעבודותיו של מירון מסכת של שינויים, תמורות חומריות, חיתוכים, מתיחות ועיוותים צורניים שונים ומשונים, שמונעים ממנו למלא את הפונקציה שלשמה נוצר. הכיסא אינו מכיל עוד את הגוף האנושי שהיה אמור להיקלט לתוכו בנוחות; הוא חדֵל לשמש מיכל המספק לאדם פסק־זמן של רגיעה, ואף אינו מהדהד את הנוכחות הנעדרת של גופו,[1] באופנים המוכרים לנו היטב מתולדות האמנות. מבין אלה נזכיר רק את נוכחותו הנפוצה של הכיסא בפיסול המינימליסטי והמושגי, למשל בעבודותיהם של דונלד ג'אד, ג'ואל שפירו, ריצ'רד ארטשוואגר (Artschwager) או סקוט ברטון (Burton), ובארץ אצל מיכאל גרוס, מיכה אולמן ונחום טבת. בעבודות אלה, שדות המשמעות נגזרים מן הבחירה הפרטיקולרית בחומר, בצורה ובפונקציה

1 ראו מרדכי עומר, קט. **הנעדר הנוכח: הכיסא הריק באמנות הישראלית** (אוניברסיטת תל־אביב: הגלריה האוניברסיטאית ע"ש גניה שרייבר, 1991).

של הכיסא המטופל – אך בה־בעת הכיסא מתפקד כאובייקט גיאומטרי, המסתמן במרחב ומסמן אותו בנוכחותו הסימטרית המובהקת. התצורות הקומפוזיציוניות של הצבת הכיסא, החוזרות בשינויים קלים על היגדים לשוניים מזוהים, מתפקדות כיחידות שפה בהקשר התחבירי־מרחבי.

נראה כי כיסא הפלסטיק המעוגל והרך יחסית של מירון מבקש להתנתק משיוכים היסטוריים כבדי־ראש אלה, ויהיו רליגיוזיים, עיצוביים או פורמליסטיים, ומתמקם במקום זאת בהווה המוּכּר והמיידי של סביבתנו הצרכנית והמתועשת, המפיקה בסדרות עוד ועוד מאותו מוצר זמין, זול וארעי. הכיסא הזה הוא היפוכה של הכורסה הרכה, הכבדה והעשירה בטקסטורות, טקסטילים ועיטורים.[2] מבחינה זו, כיסא הפלסטיק מערער בנוכחותו על הסדר החברתי הישן. זהו כיסא המתנער מן העיצוב ה"רציונלי", שכולו גיאומטריה ואנליטיוּת אדריכלית מוקפדת, מן הסוג שנוכל למצוא בקונסטרוקציות ה"כיסאיות" של מעצבים כיוזף הופמן (Hoffmann) איש הסצסיון הווינאי, חריט ריטוולד (Rietveld) מתנועת דה־סטיל, או איילין גריי (Gray) בעיצוביה ללה קורבוזייה. עם זאת, כיסא זה אינו סממן טיפוסי של תרבות הצריכה הגלובלית בנוסח "איקאה", שרהיטיה מותאמים ומונגשים לצרכים וליכולות הכלכליות של המשפחה הבורגנית בימינו. את כיסא הפלסטיק המטופל בעבודותיו של מירון נמצא בעיקר בדירות שכורות, במרפסות ובגינות, או כגיבוי של "פתרונות ישיבה" זמניים בכנסים מאולתרים, במטבחים משרדיים ובחדרי המתנה ציבוריים, כיסא המופיע לרגע בעת הצורך – בשמחות, או בעִתות אבל – ואז חוזר ונטמן במחסן. כיסא זה שייך אמנם לרפרטואר של הבית והמשרד העכשווי, ועימו לסדר החברתי־תרבותי המובנה והמשרה ביטחון, ובכל זאת נוכחותו שונה ונבדלת ומעמדו ב"היררכיית הריהוט" של הבית המהוגן שולי יחסית.

על רקע זה, הכיסא כחפץ עובר בעבודותיו של מירון תמורה משמעותית, החותכת דרך המרחב הביתי המוּכּר אל מרחב סוריאליסטי מרוחק. דרך עיבודו של כיסא הפלסטיק המלאכותי נחשפים בו הקשרים ופוטנציאלים אורגניים, זואולוגיים־בוטאניים (עצמות, מִפרקים, צמחים, חרקים) ופליאונטולוגיים (בדמות חלקי שלדים עתיקים של בעלי חיים שנכחדו). בפרויקט פְּרִימָה הופכים כיסאות הפלסטיק המטופלים לאורגניזמים חיים בבית־חממה: ספק צמחים מתפתלים בתנועה מעוגלת סלילנית, כרישום בחלל, ספק חרקים דקי גב ופרוקי רגליים. שֵׁם הפרויקט בעברית מחזיק שתי אפשרויות פרשניות: פירוק והתרה מן הצד האחד,

2 גם הכורסה טופלה בהרחבה בתערוכה קודמת שהציג מירון במוזיאון הרצליה לאמנות עכשווית, וראו קט. **ממנטו מובילי**, אוצרת: דליה לוין (מוזיאון הרצליה לאמנות עכשווית, 2000). סיפורו הקצר של מירון המופיע בקטלוג, "הכורסה", מדגים עניין זה באופן מובהק – וגם סיפורים אחרים בקטלוג עוסקים ברהיטי הבית.

ופתרון והסבר מן הצד השני. האומנם פוענח והוסבר כאן דבר כלשהו? ואולי לא לשווא מזכיר השם האנגלי *Unraveling*, בצליליו, את הצירוף un-revealing, ומעיד על טבעו צופן הסוד כמצב קיומי שאינו מאפשר, בסופו של דבר, חשיפה מלאה וממשית.

פסלי העץ הלבנים המוצגים באולם הגדול, שכיסא "כתר פלסטיק" לבן שימש נקודת מוצא ומודל ליצירתם, מתקיימים אף הם כישות כפולת־פנים הממזגת בין הטבעי לאל־טבעי, כחלקים מכניים או קטעי שִלדות של מכוניות – אך גם כעצמות ומִפרקים שנותרו מחיות ענק קדומות, דינוזאורים, ממותות או לוויתנים. אוריאל מירון עצמו מנסח את עיקרי הפרקטיקה שלו במונחים אבולוציוניים:

מדובר בברירה טבעית ובאילוצי הישרדות הפועלים את פעולתם בטווח זמן של דור אחד, ברמת האורגניזם האינדיווידואלי ולא ברמת המין כולו. המוטציות המתרחשות באורגניזם אחד אמורות לתרום להישרדותו המיידית, אך אין ביכולתן לראות קדימה, לחזות תנאים עתידיים ולשמר תכונות שיועילו רק לדורות הבאים. במובן זה, לברירה הטבעית האבולוציונית אין "כיוון" או "מטרה", כאשר הכיוון המזוהה בהתפתחות של מין מסוים לאורך זמן הוא למעשה כיוון בדיעבד, הצטברות של פתרונות אד־הוק שממשיכים להצליח. ועדיין אפשר לומר שה"כיוון" אינו רק בדיעבד, שכן הוא מוכתב במידה רבה על־ידי העבר: שינויים ומוטציות מתרחשים אמנם באקראי ומוכחדים או משתמרים בהתאם למידת תרומתם או פגיעתם ביכולתו של אורגניזם ספציפי לשרוד ולהעמיד צאצאים; אולם המוטציות וההסתגלויות שאורגניזם מסוים כשיר לבצע הן פונקציה של צורתו ומבנהו הנוכחי (שגם הם תוצאה של מוטציות קודמות), ולכן העבר מכתיב את העתיד במידה מסוימת, אמנם בלי לחזות אותו. במובן זה, המטען הגנטי של כל יצור מייצג שרשרת רציפה של התרחשויות אבולוציוניות שקושרות אותו ל־DNA הראשון, וכל אורגניזם הוא היסטוריה או גניאלוגיה פרטיקולרית של עצמו, המייצגת מהלך של מיליארדי שנות אבולוציה. אני מבקש לעבוד בצורה דומה: העבר האישי או הפרטי ואפילו המקרי של גרעין צורני מסוים (רסיס של כיסא פלסטיק, למשל) הוא מצב נתון, שממנו היצירה מתפתחת ברצף של החלטות אד־הוק, וכך נמשך העבר של היצירה ונפרש בהווה.[3]

3 אוריאל מירון בשיחות עם המְחברת לקראת התערוכה.

העיסוק בטרנספורמציות, שרווח מאוד בסוריאליזם, מזוהה בציוריו של מירון וכן ברישומים ובהדפסים שיצר: ערימת כיסאות נדמית כשלד של דינוזאור קדום [איור 1], צביר של משוטים או מצופים נהפך לגל עצמות [איור 2], וכיסא נוח מִשתנה והופך לגוף של לוויתן [איור 3]. כתמי הדיו האקראיים שטפטף על מצע הנייר, ואשר, בעקבות לחץ אוויר שהפעיל עליהם, התפשטו על פני הדף, נראים כיצורים מוזרים השולחים זרועות עכבישיות [איור 4]. נוסח זה של עבודה מעלה על הדעת את הציור האוטומטי של הסוריאליסטים, המתהווה שלא בכוונת מכוון ובדיוק משום כך פותח פתח אל מסתרי הלא־מודע, או לפחות חומק משיפוט מיידי שעשוי לקטוע את זרימת היצירה החופשית. ההדפסים כורכים אפוא סוגים נבדלים של אלמנטים, כמעשה הכלאה של מין בשאינו מינו, ונראה שההסבר הרציונלי שנתן מירון לתהליך העבודה שלו תקף בה לצד ויחד עם האופציה העל־מציאותית.

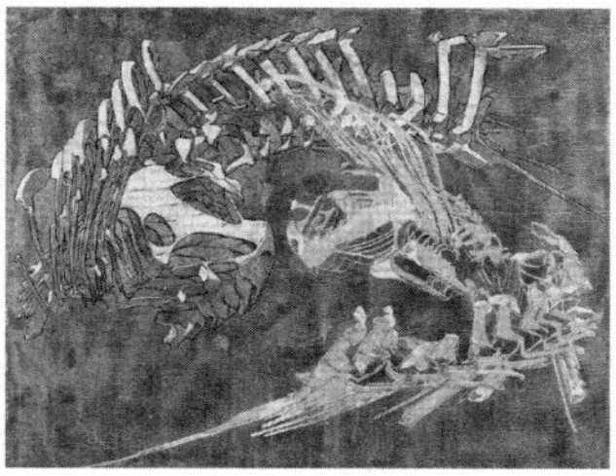
[1] In Medias Res, 2008, תחשיף (אקריליק משויף על עץ לבוד)

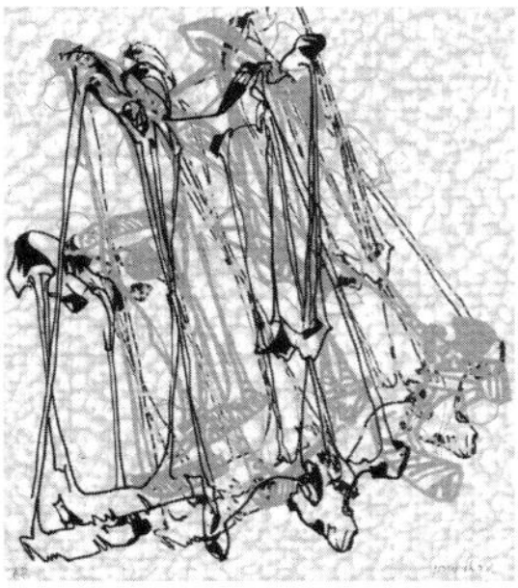
[2] ללא כותרת, 2009, הדפס רשת מתוך ספר־אמן **בית עכביש**

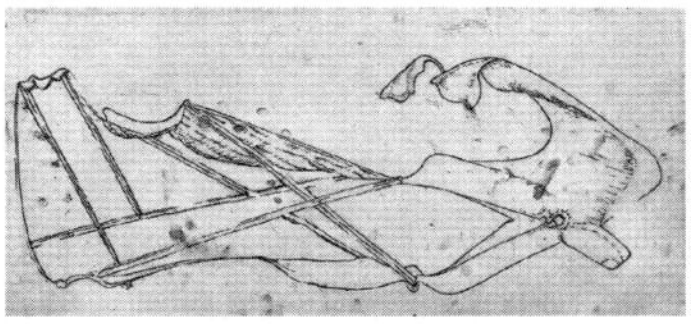
[3] שפת ים, 2007, אקווטינטת סוכר

פעמים רבות הופך חפץ המוצָא, זה שממנו החלו ההדפסים והציורים להתגלגל, לישות אורגנית אמורפית בעלת חיים משלה. המציאות השנויה והמפוצלת הזאת מוצאת ביטוי בשם שנתן מירון לספר־אמן שיצר בעבורם, בית עכביש,[4] השאול משיר של דן פגיס וממזג את הטבעי במלאכותי וכורך את המוגן והמוּכּר במסוכן ובדוחה. אפשר לחשוב על תמורות מעין אלה, המנפישות את הדומם, במונחי המהלך האנימיסטי שמציירת הפסיכולוגיה ההתפתחותית – השלב ההתפתחותי שבו הילד מייחס לעצמים דוממים תכונות של יצורים חיים ובעלי

4 אוריאל מירון, **בית עכביש** (ירושלים: סדנת ההדפס, 2010): הדפסי רשת בעקבות שירים של דן פגיס.

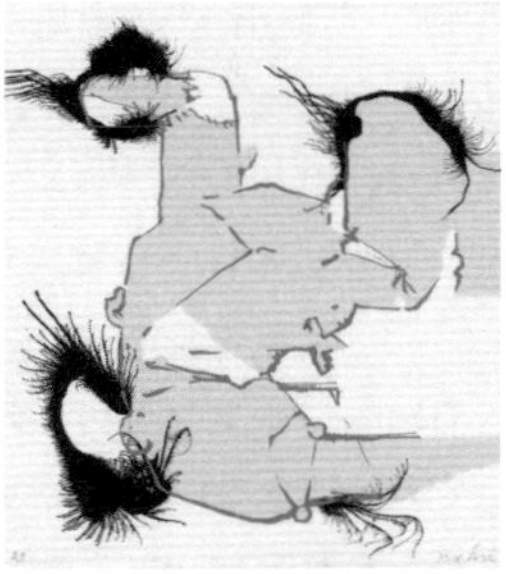

[4] ללא כותרת 2009, הדפס רשת
מתוך ספר־אמן **בית עכביש**

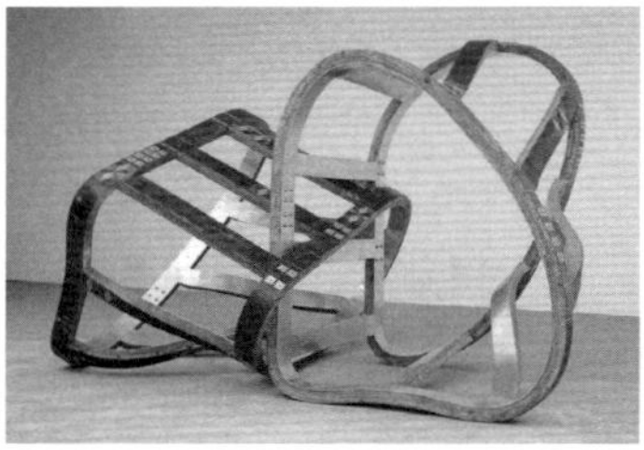

[5] ריצ׳רד דיקון, **מנעול**, 1990,
שכבות עץ מודבקות, אלומיניום וויניל

תודעה, תוך טשטוש הגבולות בין עולמות החי והדומם, המציאות והדמיון. הילד, המשליך את רגשותיו על סביבתו החיצונית, אינו מבדיל באופן מוחלט בין עולמו הפנימי לבין המציאות החיצונית, כאשר החפצים סביבו מואנשים בשלל תכונות אנושיות. בין השירים של דן פגיס שאותם בחר מירון ללוות בהדפסים, נמצא את ״בפינת דמדומי״, ״איפה״ או ״בתים״, המביעים חרדת נטישה וחשש קיומי בתיאורי בית קורס ורהיטים הרוחשים חיים מוזרים, שרק היצירה יכולה להם. בשירים ״איפה״ ו״בתים״, הדובר מוצא מפלט מן המציאות המאיימת והמאיינת הזאת באמנות בדמות התמונה שעל הקיר ושרטוטי העט, שבסימניו המותווים על הדף הוא מכונן מחדש את המקום שחרב. גם באחד מן הסיפורים הקצרים שכותב מירון עצמו, ״שטיח ופסנתר״, מתואר עולם טבע פלאי ומפתה של בריכת לבה לוהטת, צמחי שרך ענקיים ורכבת הרים אימתנית, מנקודת מבטו של ילד המסתתר מתחת לפסנתר ומאניש בדמיונו את עיטורי השטיח.

בעבודתו של מירון אפשר למצוא שילוב מרתק בין מגמות שרווחו בפיסול הבריטי של שנות ה־80 וה־90, אצל פַּסלים דוגמת ריצ׳רד דיקון (Deacon) **[איור 5]** או טוני קראג (Cragg), שצמחו מתוך המינימליזם והאמנות המושגית של שנות ה־70 אך ביקשו להחזיר לפיסול את תחושת החומר, עבודת הכפיים ומטאפוריקה פיגורטיבית במידת־מה; לבין יצירתו המאוחרת של הפסָל הסוריאליסטי אלכסנדר קאלדר (Calder), שפנה מפסלי המובייל שהמציא ליצירת פסלי־חוץ סטטיים, גדולי ממדים, ממתכת **[איור 6]**. פסליו של קאלדר מרמזים בתצורתם האורגנית־מכנית לצורות של חיות ודמויות אדם, דווקא מתוך הבלטת מערכת המַחברים והברגים שבבסיס הקונסטרוקציה. לחללים הנפערים בין קווי המִתאר המתכתיים של הפסל יש תפקיד משמעותי בהתוויית הצורה השלמה, כאשר בה־בעת הפסלים מפעילים גם את המרחב שבתוכו הם מוצבים.

[6] אלכסנדר קאלדר, **פלמינגו**, 1973, פלדה צבועה

ארבעת הפסלים שהציב מירון באולם הגדול מתכתבים עם הפיסול הסוריאליסטי של קאלדר במובן זה, שכן הם מזמינים אותנו לבוא אליהם, לסוב סביבם, אפילו ממש להיכנס לתוכם. כיסא הפלסטיק ששימש "מקור" לתכנונם נותר מאחור. הפסלים עשויים עץ צבוע לבן המסתיר את מקורו האורגני של החומר, ומַחברי הפרקים בין היחידות שויפו ועובדו בהקפדה, גם אם נותרו בולטים ונוכחים. בשיחה עם מירון בהקשר זה עלה הרושם הכביר שהותירו עליו בילדותו שלדי הדינוזאורים הענקיים במוזיאון לטבע בניו־יורק, שרק התעצם ברבות הימים כאשר גילה שרוב חלקיהם של אותם שלדים שוחזרו (והם מפוסלים, מומצאים בעצם) בהסתמך על שרידי עצמות מעטים.[5] חוויית המפגש עם הפסלים בסטודיו מעלה על הדעת ביקור באתר קבורה נטוש, שבו נותרו פזורים חלקים של שלדי פילים או חיות ענק פרהיסטוריות, כשלד לוויתן ענק שמגופו העצום נותר רק קו מִתאר מרומז.

עיון בטקסט אחר שכתב מירון, "חלום המזעור", מגלה רבדים נסתרים נוספים. הטקסט בוחן את הדחף המניע אותו להחריג אובייקטים מקנה־המידה הממשי שלהם, ברפלקציה אישית השואלת, למשל, מה מעולל הדבר לדימוי העצמי של האמן, ובעיקר לתפיסת העצמי הנגזרת מדימוי הגוף כישות טרום־חברתית (נאמר ילדית), המתבדלת לראשונה מסביבתה. מסביר מירון באחד ממאמריו:

> ראשית יש לומר שמהלך המזעור ועצם העיסוק, המשחק, בדגמים מיניאטוריים של המציאות הפיזית, הם מקור להנאה – ואולי מדויק יותר לומר: עינוג. עינוג זה, ביטוייו המוקדמים מופיעים במשחקי ילדים (שחלק נכבד ביותר מהם עושה שימוש בדגמים זעירים של דמויות ושל מבנים), ונפוץ כל כך בסיפורי ילדים. [...]
>
> מזעור הגוף והאני, כפנטזיה, מציע כמה "יתרונות" דמיוניים ונפשיים: כושר ידיעה, גישה למקומות אסורים, היעלמות, כוח השפעה חתרני, וחזרה למצב ליבידינלי אינפנטילי, שבו האנרגיה המינית אינה מאורגנת דרך איברים מסוימים ואזורים ארוגניים אלא נפוצה בכל הגוף, שמתפקד כאיבר או אזור ארוטי אחד.

5 פסל של מירון, בדמות שלד דינוזאור ענק שיצר מערימה של כיסאות פלסטיק, הוצג בתערוכה "מוזיאון הטבע" (2010) במוזיאון פתח־תקווה לאמנות; אוצרת: רויטל בן־אשר פרץ.

יצור זעיר־ממדים ניחן ביכולת לרכוש ידע שלא עומדת ל"גדולים". מצד אחד, הוא "קרוב" יותר לדברים ומסוגל לחדור אל תוככי הקירות והמחיצות שביניהם ולגלות את המבנה הפנימי שלהם – כמו גיבורי הלקחנים,[6] שחיים ממש בתוך הקירות ומתחת לרצפות בדומה לעכברים, תיקנים וחרקים, ויודעים את כל סודות הבית. גם בתחום הידע המדעי, חלק נכבד מן ההתפתחויות של העידן המודרני נוגעות לשיפור היכולת לראות מקרוב יותר ומבפנים יותר. אכן, "אגדות" מודרניות רבות מתייחסות למזעור הגוף או התודעה כאמצעי מדעי. בסרט המדע הבדיוני הקלאסי מ־1966, *Fantastic Voyage* בכיכובה של ראקל וולש, כמה הרפתקנים ממוזערים לגודל מיקרוסקופי, יחד עם רכבם דמוי החללית, ומוחדרים לגופו של דיפלומט כדי לחקור ולנטרל את הפגיעה המסכנת את חייו בעקבות נסיון התנקשות. המזעור מוביל לא רק לידיעה חדשה אלא גם לכושר השפעה רדיקלי – כלומר כוח – על העולם (ידיעה פולשנית, חודרנית, שבה הגוף והתודעה הופכים לפאלוס, או לנגיף).

[...] במצב הממוזער הדמיוני, הגוף כולו הופך לאיבר מין שבכוחו לחדור למקומות אסורים וגם להיות צעצוע מין בידי "הגדולים" – שתי פנטזיות מיניות אינפנטיליות מובהקות. הוא יכול לחזור לרחם, להיטמע בגוף הגדול הנחשק – או להישאר גוף זר, פולש, מחולל שינוי (לטובה או לרעה). פנטזיית החזרה לרחם מקבלת ביטוי ישיר עד כדי גיחוך פארודי בסרטו של פדרו אלמודובר דַבֵּר אליה (2002), בסצנה שבה גבר ממוזער מטפס על גופה העירום של האשה הרדומה וחודר לוואגינה ענקית (ומלאכותית בעליל).

[...] העינוג המופק מבניית דגמים מיניאטוריים או מהתבוננות בהם נובע, לטעמי, מהגירוי הדמיוני שהם מספקים לאותה פנטזיה ראשיתית־ילדותית שלנו להיות homunculus (אישון) חתרני, חודרני, מציצן וידען, שרואה ומבין את הדברים מבפנים ומקרוב וחומק מעיניהם של הגדולים ומעולם האחריות והמחויבות הבוגר; אישון שכל גופו יכול לרטוט באנרגיה מינית בלתי מעוצבת. האישון הוא על סף ההיבדלות הפיזית מן הסביבה. כאשר הוא פולש וחודר אל החללים שבין רקמות המציאות ומחולל שם שינויים, הרי הוא גוף זר, נבדל מן העולם והחברה. כאשר הוא נבלע בפנטזיית החזרה לרחם, הוא חוזר לנקודה האינפנטילית שלפני התעצבות העצמי, המכיר בעצמו כנפרד פיזית מן הגוף של העולם.

6 מרי נורטון, **הלקחנים**, תרגמה מאנגלית: יוכבד פרימן (תל־אביב: זמורה־ביתן, 1983).

> [...] דגם מן הסוג ההפוך – דגם מגדיל – עשוי להציע מימוש חריף עוד יותר לפנטזיה: דגמים שמגדילים דברים קטנים, אפילו מיקרוסקופיים, לממדים מונומנטליים, מקרבים את הצופה (יוצר) עוד יותר אל המצב הממוזער המיוחל; שכן לא זו בלבד שהאני מתגמד נוכח גודלו של האובייקט, הוא אף מתמזער עוד יותר ביחס למקורו הזעיר של הדגם המוגדל.[7]

השינויים בקנה-המידה של אובייקט נתון, של הסביבה או של הגיבור (האמן או הצופה) הפועל בתוכה, נתפסים אפוא בעולמו של מירון בפריזמה הפסיכואנליטית. זאת ועוד: השם מושך זמן שבחר מירון לקבוצה הפיסולית גדולת הממדים שיצר, מצביע על חתירתו להגיע אל המימד שמעֵבר לרציונלי, אל טריטוריה יצירתית-ילדית משוחררת של על-מציאות הנשלטת על-ידי הדמיון. הזמן, שהוא מושג מופשט, מתואר כנוכחות חומרית ממשית, ואפילו אלסטית וניתנת לעיצוב. כדימוי, מושך זמן מעלה על הדעת את שעוניו הנוזלים של דאלי (בציור ששמו, יש להוסיף ולציין בהקשר זה, התמדתו של הזיכרון), כאשר הזמן-ככיסא-פלסטיק מטופל בסטודיו של האמן באמצעות מתיחתו בין המלחציים, או במילותיו של מירון: "באופן שיטתי ומכוון אני נמנע מלחזות את העבודה הסופית במהלך עשייתה, כדי לאפשר לה להתהוות בתהליך אורגני ופתוח לשינויים". ברוח זו גם התערוכה משקפת מצב תודעתי ויצירתי המתקיים בין הזמנים, בין העולמות ובתוכם: העבר נמתח אל העכשיו וחוּבר אל עתיד קרוב מתהווה, וכך הזמני חוּבר אל העל-זמני, הטבע נכרך בתרבות, הרעיון הופך לחומר, והדומם הופך לגוף אורגני חי.

7 אוריאל מירון, מאמר שטרם פורסם.

כמטחווי עצם:
קרוב ורחוק בעבודתו של אוריאל מירון

תומס אלזן

לראשונה התוודעתי לעבודתו של אוריאל מירון בתל־אביב ב־2011, ביריד האמנות "צבע טרי". בהזמנת מארגני היריד וקרן פרדריקה שיר, הציג מירון פרויקט מיוחד עם הצלמת הגרמניה קארן אירמר, בשם עקרון הרגעים. זה גם שמו של הפסל הגדול שמירון הציב שם, ואשר הרשים אותי הן כחלק מהדיאלוג האמנותי בין שני האמנים והן כיצירה עצמאית. בעקבות ביקור ראשון שלי בסדנת האמן נרקם בינינו דיאלוג אינטנסיבי, שהוביל להזמנתו של מירון להציג תערוכת יחיד ב־H2, מרכז לאמנות עכשווית באאוגסבורג, גרמניה, ב־2013.

בתערוכה, שמירון קרא לה "כמטחווי עצם", הוצג תמהיל ייחודי של רטרוספקטיבה ופסלים חדשים, שנוצרו במיוחד לפרויקט זה. השילוב נעשה מתוך תפיסה של "תמונת חלל" אישית: היחס בין הפסלים לבין סביבתם האדריכלית – תגובתם למאפייני החלל (נאים וחמורים בעת ובעונה אחת), לפרופורציות ולצירי הצפייה שהוא מציע, לעברו התעשייתי כמטוויית כותנה ולמרחביו מפולשי־האור – יצר נוף פנימי המְזמן, בנוסף לצפייה בכל עבודה לעצמה, חוויה כוללת של מרחב דינמי המאפשר לנוע בתוכו. אופן זה בדיוק של התייחסות ספציפית לאתר התצוגה עומד ביסודה של יצירת אוריאל מירון, והוא ניכר כבר בתערוכות ובפרויקטים קודמים, שגם בהם היו המקום והזמן שיקול מְעצב, מהותי לא פחות מן השאיפה לתצוגה מיטבית של כל פסל ופסל. עם זאת, מורכבות ההצבה וההיקף של התערוכה באאוגסבורג מסמנים מימד חדש בנתיב הנסיוני שמירון פורץ.

כשנאמר על אמן כי הוא רושם בחלל, על פי רוב זו אמירה מטאפורית כללית שאינה מכוונת למאפיין פיסולי ממשי; אך אצל מירון אפשר להחיל אמירה זו, בפועל, הן על יצירותיו והן על דרך עבודתו: היכן נגמר הרישום ומתחיל החלל, ולהפך? לשאלה זו תמיד היה משקל גדול בעבודתו. "אצלי הכל מתחיל ברישום, ובשעת רישום אני כל הזמן משתדל לא להפריע לתנועת היד שלי". גם אם אפשר לראות בתנועת יד זו מעין רישום אוטומטי, אי־אפשר לְתחוֹם אותה במובן המובהק לו התכוונו הסוריאליסטים של שנות ה־20 למאה הקודמת, ששאפו לתת ביטוי חזותי למצבי נפש בעזרת טכניקות של השתחררות מהתודעה ומצבים

דמויי טראנס. בשונה מכך, עבודתו של מירון עסוקה יותר בשאיפה להפקיע את הקו מתפקידו בשירות ההמְחשה של רעיון אמנותי, כדי לשחררו לעבר התלת־מימד ולאפשר לו להפוך לצורה פיסולית בפני עצמה. ״אני מנסה לאפשר לקו למצוא את דרכו, לעשות כרצונו״, אומר מירון – ודבריו יאים לא רק לספונטניות ולישירוּת המאפיינות את הרישום הקלאסי על גבי קרטון או נייר (מדיום שנותר תמיד רלוונטי לעבודתו), שכן גם בפיתוח פסליו הוא נוהג בדיוק כך. עבודתו בסטודיו, לרוב בלי עוזרים, תחילתה במחשבה על מתווה כולל או על מסלול קווי תלת־ממדי – אך אלה, בתהליך העבודה המעשית, הולכים ומקבלים חיים משל עצמם. בדרך זו מירון מאפשר לעצמו, במודע ובכוונה תחילה, להפתיע את עצמו.

התהליך מוליד צורות בעלות אופי אורגני מובהק – צורות שמקורן בטבע, או ליתר דיוק, בעולם בעלי החיים; צורות שלעתים נדמה כי הן ניתנות לזיהוי, אך בבחינה מדוקדקת יותר מתברר כי אינן עולות בקנה אחד עם שום היגיון אמפירי או זיהוי זואולוגי. ברם, היגיון זה ממש בא לידי ביטוי בצעד כמו־אבולוציוני נוסף, בדרך להתהוותה העצמאית של צורת טבע כצורת אמנות. התהוות זו מתרחשת באורח בלתי מורגש, תוך התפתחות רציפה וללא תפרים לכאורה, ובדיוק בכך מתגלה מיומנותו יוצאת הדופן של מירון, שכן עקרון הטרנספורמציה ההדרגתית כשלעצמו הוא שמתגלם בתוצר הפיסולי.

דוגמא מובהקת לכך נוכל למצוא בשלד קריפטו־זואולוגי (2009) – פסל מפלסטיק ועץ התלוי מן התקרה בכבלי פלדה – שמזכיר שלד של חיה קדמונית, זוחל דמוי־דינוזאור או יצור ימי פנטסטי.[1] שלד העצמות המרומז, המעלה על הדעת גם אִדרה זיזית של דג, מורכב מכיסאות פלסטיק שנוסרו וגולפו אחד־אחד, כיסאות שכמותם מצויים באינספור מזנוני רחוב עירוניים. זה כמה שנים עושה מירון שימוש בכיסאות כאלה, שבהם מצא חומר גלם אמנותי, ועיבודם הווירטואוזי רק הולך ומשתכלל תחת ידיו. כה מיומן נהיה, עד כי הצופה נדרש להתבונן באובייקט היטב ומקרוב בטרם יזהה את הרדי־מייד הזול שממנו נוצר. גם חוליות העץ החוצצות בין חלקי הפלסטיק, המתפקדות אף הן כחלקים מן־המוכן, גולפו כל אחת ואחת בידי האמן. לצד הדיוק המושלם המושקע בפסל, וצורתה התלויה והאלגנטית של הברייה הפלאית המתגלמת בו, ניכרת בְּכל גם חדוות המשחק והניסוי, הנלווית אולי, כפי שמגלה מירון עצמו, ל״שִחזור [בלתי מודע] של זכרונות ילדות בדמות חפצים״.

נהירותו של האובייקט הפיסולי המוחשי נסמכת, למעשה, לא על מחווה תרבותית לאובייקט מצוטט כלשהו – כפי שאפשר לומר, למשל, על פסלו

1 על המשמעויות המיוחדות של הלוויתן בעבודתו של מירון ראו מאמרו של גדעון עפרת, כאן.

המונומנטלי של גבריאל אורוסקו, גל אפל (2006) – אלא על גירוי ספציפי. הרושם שיוצר פסלו של אורוסקו מבוסס בראש ובראשונה על ממדי הפסל, שרק אחר כך, באורנמנטיקה ההילתית שלו, מרמז על דיאלוג פואטי בין האמנות והטבע; מירון, לעומת זאת, מחולל משחק הטעיה מיוחד במינו, הפועל כמעט כמו פרשנות אירונית – כזו שמכוונת פחות אל מטרה אמנותית מסוימת ויותר אל כל פלקטיות אינטלקטואלית באשר היא. יתרה מזו, עם כל הדיוק וההקפדה שבתהליכי עבודתו, מירון מצליח להחדיר בפסליו גם מימד ספקולטיבי בוטה: איפה חזית הפסל ואיפה אחוריו (הן בפסליו־שלו והן באלה של אחרים)?

החיים העצמאיים של הקו ממלאים תפקיד שאין לטעות בו גם בפסל נכס נזיל (2008), העשוי עץ ובד. בצירוף אקראי לכאורה של צורות דמויות כיסאות־נוח תמימים למראֶה, מתרקמת לה דרמה שלמה. הכיסאות ה"נוחים" אינם מסוגלים באמת ובתמים לשמש בתפקידם. במהלך ההתבוננות בפסל מתברר המכלול כצרור בלתי שימושי, אסתטי ולכן מתוחכם, שדמיונו לחפץ שעליו הוא נסמך הוא למעשה לא יותר מראשוני. לפנינו משחק מושכל בחזותם המוּכּרת של חפצים בנאליים ובאופן שבו אנחנו תופסים אותם, משחק שיש בו משום הצעה להיצג חלופי. האבסורד המבני שמירון חושף בעבודה זו, שנראית כאילו היא שרויה בעיצומו של מאבק פנימי על השלטת סדר כלשהו, מגלה לא רק וירטואוזיות טכנית אלא גם הומור נבון ויבש, שמרמז אולי על האידיוסינקרטיות של עולמו האמנותי – ושל חיי היומיום.

משחק הקווים הדו־ממדי – והתפרשׂותו התלת־ממדית – מתגלה באופן מובהק ביותר בעבודה עקרון הרגעים (2010) שהוזכרה לעיל: בפסל זה, העשוי עץ צבוע, מומחש מושג הרישום בחלל בצורה ישירה. גם בבסיס עבודה זו מונחת סדרת צורות מודולריות בתבנית של מסגרת כיסא, אלא שבמקרה זה הצורות אינן מצטרפות זו לזו כחוליות, אלא נפרשׂות כמניפה ליצירת מבנה קווי תלת־ממדי מסתרג וייחודי, המתעצב בהתאם לתנועת הצופה ולתנאי האור־צל המשתנים: פעם דחוס, ופעם מבוזר ועתיר תנועה. יחסי המתח בין סדרתיות לצורה חופשית נתפסים קודם כל לנוכח תנועת הצופה, ובדיוק תכונה זו עומדת במהות הרעיון הפיסולי: אין נקודת מבט מושלמת, אלא מערכים הנבנים ומשתנים תדיר בין חלל, אובייקט, צופה והתווך שביניהם. לשון אחר: מהלך ההתבוננות, שמקורו בתנועת הצופה, הופך כאן למודוס פיסולי.

שלושה פסלי עץ צבוע, מונומנטליים ובה־בעת דקיקים־עדינים, הציג מירון באאוגסבורג תחת הכותרת כמטחווי עצם. בכוונת מכוון, הפסלים הללו אינם תופסים שום עמדה אופטית מובהקת אלא מתפקדים כדבוקה סמלית, המחזיקה את התצוגה כולה בקשת רחבה ורופפת. החומר שממנו עשויים הפסלים מעמיד

פני פלסטיק – אך זהו עץ, שבזכות אופן צביעתו מחולל תמורה בתודעת הצופה, החווה פני שטח דמויי פלסטיק. כפי שבשלד קריפטו־זאולוגי הפך מירון את הפלסטיק לחומר־אמנות, כאן הוא מצניע את חזותו האצילית של העץ לטובת חומריות מלאכותית לכאורה. השמות הפרטיים של כל אחד משלושת הפסלים – נַעֵר, שקְשֵק וגלְגֵל, ובאנגלית *Shake, Rattle* and *Roll* – מבוססים (בדומה ל"עקרון הרגעים",[2] שם תקליטו של רוברט פלנט, לשעבר סולן להקת לד־זפלין) על שם אחד הידועים בשירי הרוק־נ־רול,[3] וזאת בשום אופן לא לטובת איזה אפקט שטחי, אלא כהצבעה ספרותית על האנרגיה המוזיקלית שרוטטת תמיד בשפה הפיסולית של מירון. בישירות שרק צופה יכול לספק, תגובתה הספונטנית של ידידה יקרה שביקרה בתערוכה (בלי שהכירה את מירון או את עבודתו קודם לכן) עדיפה על כל הסבר תיאורטי: "Das hat Schmiss" ("יש לזה תנופה").

ב"תחשיפים" שלו – כפי שמכנה מירון את תוצרי שיטת הציור הייחודית שפיתח – הופכת החדירה ההדדית של פיסול ותמונה לניסוי מתמשך. מבחינה צורנית טהורה אפשר להבחין כאן באנלוגיה לעבודות החיכוך (frottage) הסוריאליסטיות של מקס ארנסט – אלא שאצל מירון העיסוק מתמקד יותר בתמונה כגוף,[4] ולא פחות מכך בגבולות, שמבחינתו הם תמיד נזילים, בין המצאה צורנית בדו־מימד ובתלת־מימד. בגניאלוגיה מקבילה, הציור מוביל אל הפיסול והפיסול אל הציור, כאשר הראשון מזין את האחרון ולהפך. במהלך מקביל לפיסול הצומח מתוך הרישום, הציור ("תחשיף") הדו־ממדי בוקע ממעמקי הגוף החומרי שלו־עצמו.

כמטחווי עצם – הדברים נראים רחוקים עד אין־קץ, אך למעשה הם בטווח השלכת עצם, או אבן. במובן זה, הפרויקט של מירון לא רק מציע הגיג אמנותי על מה שבין הארכאי לרדי־מייד, על הדיאלקטיקה המתמדת של קרוב ורחוק, על שבריריות־יציבות ועל יחסי הנורמלי והחריג; לא פחות מכך, הפרויקט מסמן מאזן־ביניים אמנותי מורכב ביותר בפרספקטיבה פתוחה לחלוטין. במסגרת זו, עבודותיו של מירון מופיעות פחות כנושאות מובן או תוכן קונקרטי ויותר כחתירה אישית־פואטית מתמשכת להעֲמדת עולם אמנותי. וייתכן שזה בדיוק מה שמקנה לפסלים גדולי הממדים שלו קלות־רגליים עוצרת נשימה שכזו, שבכוחה להתמודד עם משקל, עובי ותנאים חומריים אחרים כאילו כמעט אינם מהווים מגבלה. מעל לכל, בהופעתם יחד – ודומה שזו הדרך לצפות בהם – הדממה

2 "The Principle of Moments" (Swan Song, 1983).

3 שירו של צ'ארלי קלהון (Calhoun), שהוכר בביצועים של ביג־ג'ו טרנר (1954), ביל היילי וה־Comets (1954) ואלביס פרסלי (1956).

4 ראו אוריאל מירון, "תחשיפים" (2013), מאמר שטרם פורסם.

הפִסלית שלהם מסגירה את החיים העצמאיים הדינמיים והשוצפים שבתוכם. ואיכות זו ממש היא שמשדרת קיום עקרוני כל כך של משחק בין תגלית וזיכרון, בין הפנמת מודלים נורמטיביים והשתחררות קבועה מהם, בין היצמדות למתוכנן והיפרדות ממנו; והיא שמבינה ומַבנה את יוצא הדופן כקבוע קיומי נורמלי, שנוגע לא רק לשאלות הצורניות של האמנות אלא לחיים של כל אחד ואחת מאתנו. המפעל האמנותי של מירון לא נאבק בניגודים אלא שואף לאגד את כולם יחד, כמנוע יצירתי המזין את חשיבתו ואת העיבוד האמנותי של סיפור חייו.

לוויתן

גדעון עפרת

אוריאל מירון הוא אמן מצוין וייתכן שאני עומד לעולל לו עוול, שכן בכוונתי להטיל חכה (צלצל?) לים הרחב והעמוק של יצירתו, להעלות בה לוויתן ולראות בו את חזות הכל. אף ייתכן שלוויתן תלוי מלכתחילה בקצה החכה שאני מטיל... לפיכך אצהיר מראש על המובן מאליו לרבים: מעשה הפרשנות האמנותי הוא, מעל לכל, עדות של הפרשן על עצמו.

אני מניח שהאשמה למהלכי מקורה בהשפעת מובי דיק של הרמן מלוויל. על כל פנים, עובדה היא שמאז פגישתי הראשונה עם יצירתו של מירון ב־2004, איני חדל לאתר בה לוויתנים מראש התורן של מוחי, ואין ביכולתי להכריע אם אובססיית הלוויתן ה״אחאבית״ הזאת שלי היא או של האמן.

את שורשי זיקתו של אוריאל מירון למובי דיק אני רשאי לאתר, מעבר להשכלתו הרחבה, בלימודיו לתואר ראשון (עד 1990) במחלקה לספרות של אוניברסיטת ייל שבניו־הייבן, קונטיקט. לא הרחק משם הפליגה ספינתו של קפטן אחאב למסע ההתאבדות שלה, המגולַל להפליא ביצירת הספרות הדגולה ביותר שנכתבה בארצות־הברית מעולם. אך פגישתי־שלי עם הלוויתן של מירון (הפגישה הראשונה; אצל מלוויל, המפגש השלישי הוא הקריטי־סופני) התרחשה, כאמור, ב־2004, בתערוכה קבוצתית בשם ״פינה רכה״ שאצר מירון (בהשתתפותו) במשכן לאמנות בעין־חרוד. כאן הקיף את אולמות התערוכה בפס כרית מרופדת, דקה וארוכה מאוד, ש״התמתח[ה] כמו נחש־בריח ענק לאורך בלתי נתפס כמעט [...] ותפס[ה] את חלק הארי של המשכן. [...] לכל אורך הכרית מופיעים דימויים מודפסים ברווחים קבועים. הדפסים אלה נגזרו מִמתאר פשוט של צורת לוויתן, שעובר התפתחות ושינוי במהלך מסלול הכרית. [...] מוטיב הלוויתן, שריתק את מירון מתקופת הילדות, עלה כבר בסדרת רישומים שיצר ב־1996, שעסקה בשכבת השומן העבה של הלוויתן״.[1]

אני מציין לעצמי, שהלוויתן עִניין את מירון עוד קודם ללימודֵי הספרות, וכי פס המגן המרופד ועליו הדפסי הלוויתנים – לא זו בלבד שצורתו כ״נחש־בריח״ (וכפי שנראה בהמשך, הלוויתן והנחש זוהו זה עם זה בתרבות המערבית

1 גליה בר אור, ״פינה רכה״, קט. **אוריאל מירון: פינה רכה** (עין־חרוד: משכן לאמנות, 2004).

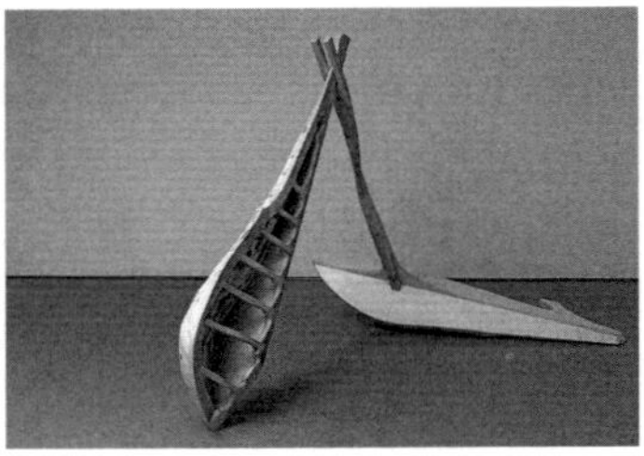

[1] רגלי חובל, 2010, עץ משומש ועץ לבוד

המגיבה לספר איוב), אלא שאותה כרית מגן מתפתלת מקורה במיטת תינוקות. רוצה לומר: בין הלוויתן לבין גיל הינקות מתקיים דו־שיח כלשהו בתודעה או בלא־מודע של מירון.

פגישתי השנייה עם הלוויתן של מירון התרחשה ב־2009, בתערוכה "מוזיאון הטבע" במוזיאון פתח־תקוה לאמנות. כאן הציג פסל מרתק בשם שלד קריפטו־זואולוגי (מלשון קריפטה וזואולוגיה: חקר יצורים מיתולוגיים, בדיוניים או נכחדים). שלד עצום הורכב כולו מחוליות לבנות, שלא היו כי אם כיסאות פלסטיק מבותרים. משהו הידרו־דינמי נכח בשלד האדיר והקדום הזה, ובאחת – לבד מהתפעלותי מההברקה החומרית־צורנית של מירון – הרהרתי בלוויתן מפלצתי. אפילו בביתור של כיסאות "כתר פלסטיק" מצאתי הד למלאכת הימאים על ספינת הציד פיקווד, המבתרים את גוף הלוויתנים הניצודים.

כעבור כשנה נמצאתי פוגש בלוויתן של מירון בפעם השלישית, ומכאן כבר לא היתה שום דרך חזרה: ב־2010, באולם התחתון של גלריה 39 בתל־אביב, ראיתי את פסל העץ והלבידים שהציב מירון בין "תחשיפיו" (לוחות עץ ש"נחפרו", מולאו בצבע, שופו, נחרטו ולוטשו). רגלי חובל, קרא האמן לפסלו [איור 1], ולא יכולתי שלא לחשוב על רגלו התותבת של אחאב, אותה עצם־לוויתן שהחליפה את רגלו המקורית, זו שנִנגסה במלתעות מובי דיק הכל־יכול; מה גם שהפֶסל עצמו – מבנה דואלי המורכב משני גופים, האחד שלדי והשני מעטפתי, הנסמכים זה אל זה (באמצעות ספק משוט ספק קב!) – הזכיר צורות קדמוניות ומודרניות גם יחד של דג ענק או סירה. אודה ואתוודה: אֲלוזיות ספרותיות מעשירות בעבורי את המבט החזותי, וכך, מיומנותו הפיסולית הרבה של מירון ביצירת מתחים נפחיים בין פנים וחוץ הועשרה בזֵכר סירות הציד המלוויליות שהוטבעו על־ידי מובי, הלוויתן השטני.

זמן־מה לאחר מכן ביקרתי בסטודיו הדרום־תל־אביבי של מירון. בזכות אותו ביקור אני מודע לכך ש"כוונת האמן" אינה חופפת בהכרח לפרשנותי הנוכחית וכי מבחינתו, למשל, הרעיון של שיבוש רהיטים ובית מהותי יותר להבנת יצירתו. אף על פי כן אינני עיוור לכך שב־2008 הציג מירון במרכז לאמנות דיגיטלית בחולון את אבן, ים ומספריים (שימו לב להמרת ה"נייר" ב"ים"), עבודה שעליה קראתי במארב (כתב־עת מקוון) כי היא

מורכבת כולה מעיוות, קיפול, חיתוך, שִׁכפול וגזירה של דימוי לוויתן שניצוד. מירון עוסק בדימויי לוויתנים ובאלימות שבציד הלוויתנים וכן בפרדוקס הטמון בה: דווקא שכבת השומן המאפשרת להם לשרוד במים, מביאה עליהם כליה בידי האדם. [...] במאות ה־18 וה־19 נהגו לקשור את הלוויתן שנלכד לספינה, לנעוץ בעורו קרס ולקלף ממנו בגלילה את העור והשומן ברצועות. [...] בהשראת תהליך ה"קילוף" של הלוויתן פיתח מירון סדרה של למעלה ממאתיים רישומי לוויתנים, העוברים מסכת של גלגולים ומוטציות [...] ויוצרים רצף עקבי של כליה וצמיחה.[2]

וכך, יצירה פיסולית בשם נכס נזיל (2008), המושתתת על כיסא־נוח ששובש והפך למבנה אדריכלי הידרו־דינמי, מכריזה בשמה על המימי ("נזיל") – וכמוה הפסל מֶמֶנטו מובילי (1999), עוד גרסה של כיסא, אומר לי בשמו הן "זכור (memento) את התנועה" או "זכור את הרהיטים", והן "**מובי**(לי)". לא, אין לי ספק: נטייתו החוזרת של מירון לתרגם רהיטי בית ל"שלדים" היברידיים או "מאובנים" פסוודו־ארכאיים ומודרניים כאחד, שבה ומחזירה אותו ואותי אל הלוויתן הגיגנטי ההוא.

ואז הגיעה ההזמנה לתערוכת היחיד של אוריאל מירון במוזיאון לאמנות באאוגסבורג שבגרמניה, ובתצלום הלוט בהזמנה לא יכולתי שלא לזהות מיד מבנה עצמות אדיר של שריד לוויתן. איני יודע מה עורר בי אסוציאציה לוויתנית דווקא: אולי עצם המבנה הלבן דמוי־העצם, אולי הזרימה ההידרו־דינמית־חללית של המבנה, אולי גודלו. מן הסתם, הכל גם יחד. כך או אחרת, עובדה: אצתי אל מובי דיק שלי ופתחתי בפרק 104, "הלוויתן המאובן":

במהלך שלושים השנים האחרונות [מלוויל פרסם את ספרו ב־1851; ג.ע.] נמצאו, ברווחי זמן שונים, מאובנים שבורים ומפורדים של לוויתנים מלפני האדם הראשון. [...] אבל המופלא שבכל השרידים הצטאציאניים [השם הלטיני־מדעי של משפחת הלוויתניים] היה השלד העצום והשלם כמעט של מפלץ אחד, ששרד ונמצא ב־1842 במטע של השופט קְריי באלבמה. העבדים הפתאים והנבעתים שבסביבה סברו כי אלו הן עצמות אחד המלאכים שגורשו מגן עדן. [...] כשאני עומד בקֶרב השלדים, הגולגלות, הניבים, הלסתות, הצלעות והחוליות האדירים האלה של הלוויתן [...], מיד בא מבול ושוטפני ומחזירני לאותה תקופת פלאים.[3]

2 אירנה גורדון, "מציאות עקומה", **מארב: אמנות־תרבות־מדיה**, 7.4.2008; כתב־עת מקוון, www.maarav.org.il.

3 הרמן מלוויל, **מובי דיק**, תרגם מאנגלית: אהרון אמיר (ירושלים: כתר, 1981), עמ' 441–442.

פסל ה"עצם" של מירון נראה לי, אכן, כאחד מאותם מאובנים ארכאיים המתוארים אצל מלוויל, ונותר לי רק לתהות: לאן מחזירים שלדי הלוויתן ושרידיו את מירון? מדוע הוא שב ורודף אחר המפלצת הימית המתה הזאת, והרי הוא חי לחוף הים התיכון (הבלתי צטאציאני בעליל)? שמעתי פעם את האדריכל הנודע פרנק גרי מעיד על זכרון הילדות של הקרפיון באמבטיה של סבתו, זיכרון השב וצץ ברבים מן הבניינים שתכנן. אז אני שב ושואל: מה לאוריאל מירון וללוויתנים?

תשובה מתבקשת תיאחז בארכיטיפים היונגיאניים: "המפלצת", "המסע", "הגיבור"... אני זוכר כמובן את שציינתי לעיל, שלאוריאל מירון עניין בלווייתנים מאז ילדותו, וכי קשר את עניינו זה במיטות של תינוקות. כלומר, בהחלט ייתכן שבעומק עיסוקו החוזר בלוויתן כמוסה רגרסיה תת־הכרתית לינקות ולחרדות מפני מפלצת טורפת כלשהי. ברם, מי אני שאחטט בנפשו של האמן (מה גם שזכור לי היטב מאמרו מ־1962 של האסתטיקן האנליטי ג'ורג' דיקי, "האם הפסיכולוגיה רלוונטית לאסתטיקה?").[4]

אני פונה אפוא אל תולדות האמנות. לפנַי מונח אלבום האיורים של וויליאם בלייק לספר איוב (1823), שתחריטיו ורישומיו הוצגו ב־1992 במוזיאון ישראל, ירושלים (אוצרת: מאירה פרי־להמן). בלוח 15 אני רואה את דמותו של אלוהים שרוע על ענן ומַפנה בזרועו את תשומת לבם של איוב, אשתו וארבעת רעיו אל עיגול תחתון, שבתוכו נראים בהמות (היפופותם) ולוויתן. בספר פסיכואנליזה ומחשבת זמננו (1958), אני קורא את מאמרה של מריון מילנר ("פסיכואנליזה ואמנות"), ובו היא מפענחת את הבהמות והלוויתן של בלייק במונחי ההכרה (הבהמות) ותת־ההכרה (הלוויתן) ומוסיפה: "הבהמות נראה עומד על האדמה, מבטו זועם. הלוויתן צף במים בחציו לקראת צלילתו בהם, ספק מתוך אקסטזה ספק מתוך ייסורים. בלייק עיצב את הלוויתן כחצי־נחש, משמע כקשור לפן הנשי של הנפש (שהרי אֵלַת הירח נוהגת בנחשים)".[5]

במאמר אחר, שפורסם באלבום תערוכת איורי איוב של בלייק במוזיאון ישראל, אני קורא שהבהמות והלוויתן באיור הנדון מסמלים

> יסודות קוטביים אינסופיים, אך בתמונה הם מאוחדים. אצבע אלוהים המורה עליהם באה לומר ששניהם הם מעשה ידיו, ולכן לעולם לא יגברו זה על זה. הקומפוזיציה המעגלית מזכירה את הסמליות הסינית של יין

4 George Dickie, "Is Psychology Relevant to Aesthetics?" **The Philosophical Review**, 71 (May 1962), pp. 285–302

5 Marion Milner, "Psychoanalysis and Art," in: John D. Sutherland (ed.), **Psychoanalysis and Contemporary Thought** (London: Hogarth Press, 1958), p. 88

ויאנג, המבטאת את איחודם של כוחות מנוגדים למערכת אינסופית אחת. [...בלייק] האמין, שלשום כוח משני הכוחות אין אפשרות להגיע לניצחון סופי; אלו הם כוחות שנפלו אל עולם חומרי של זמן וחלל סופיים. אולם חלל, ובעיקר זמן, נתפסים אצל בלייק כחסד. [...] בין המוטיבים המופיעים אצל בלייק מצויה גם ביצה מוקפת נחש – סמל להתגלמות הזמן – וגם ביצה המוכתרת בחצי ירח, המסמלת את הייצוג הנשי של החלל בעולם הזמן הסופי.[6]

הספקולציה הפרשנית שלי מתנקזת לאפיק אזוטרי: אני מציע לראות בלוויתן של מירון דימוי תהומי תת־הכרתי, המייצג את הזמן ומתאחד עם דימוי הנחש ("נחש־בריח" הזכור מאיוב ומתערוכתו של מירון ב־2004) כסמל לפן הנשי. הזמן – הלוויתן הנחשי – הוא כוח הנאבק בכוח החלל. זהו מאבק אינסופי המתחולל באמנות בכלל ובאמנותו של מירון בפרט, בה־במידה שיצירתיות יסודה בזיווג הפן הזכרי והפן הנשי בנפש, שלא לומר – זיווג ההכרתי בתת־הכרתי (הלוויתן). הלוויתן של אוריאל מירון, אני מציע, הוא דימוי עומק של סוד היצירה האמנותית.

— —

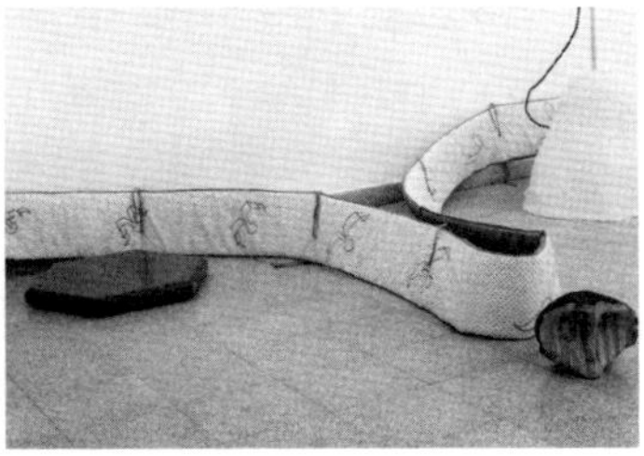

[2] פינה רכה, 2004, הזרקת דיו על כרית כותנה במילוי אקרילן

"כל העבודות שלי הן יצורים, מין ביבר (menagerie)", מאשר אוריאל מירון באוזני ומוסיף: "מעין חברים דמיוניים, גרוטסקיים, מפלצתיים". אני מעלעל במחברות הרישומים של מירון ומגלה סקיצות להדפסים המלֻוות בהערות דוגמת "ארכיטקטורה של בטן הלוויתן", או "לצייר לוויתנים ולגזור ולהעביר בשעווה רכה". ובדף אחר, רעיון לעבודה: "לוויתן מיריעות יוטה – סנפירים. [...] רישום ארוך נוסף. לוויתן אחד". בקטלוג תערוכתו בעין־חרוד, פינה רכה **[איור 2]**, כלל מירון רפרודוקציות של תחריטים ישנים בנושא ציד לוויתנים, ובהם לוויתן ענק המטביע סירות־מלחים, ככל הנראה איור למובי דיק. על עטיפת הקטלוג הודפס רישום פיגורטיבי למחצה המשלב זנב־לוויתן עם קילוף של שכבה עבה מגופו –

6 מרים אור, "השתקפות חזונו של בלייק בתחריטים לספר איוב", קט. **איש היה בארץ עוץ: איורי וויליאם בלייק לספר איוב**, בעריכת מאירה פרי־להמן (ירושלים: מוזיאון ישראל, 1992), עמ' 52.

אחד מאותם רישומי "קילוף" לוויתניים [עמ' 1-15] שעוצבו לאורך הכרית הדקה סביב אולמות התערוכה והיוו בסיס לעבודת האנימציה אבן, ים ומספריים.

אני שב אפוא אל שאלת היסוד: מנין בריתו זו של מירון עם הלוויתן? מבהיר לי מירון בשיחה:

> מבחינתי, הקשר יסודו בחוויה מכוננת בילדותי: בניו־יורק, בגיל שלוש, הכרתי לראשונה את המוזיאון לטבע. במרכז האולם של החיות הימיות תלוי מודל בגודל אחד־לאחד של לוויתן כחול. מול הלוויתן הזה והדולפינים שבצד האולם – אתה חש עצמך יחד איתם בתוך המים. בעבורי, הילד הקטן, לא להיות בן אדם כי אם חיה ימית – זו היתה חוויה נעימה מאוד. נעם לי ביותר לחוש את עצמי זעיר מאוד.

קשה להימנע מאסוציאציות רחמיות, שיבה אדיפלית אל רחם האם, זו שמותה בגיל 32, כשהיה האמן בן שבע, מהווה בעבורו אירוע מכונן:

> שנים רבות קישרתי בין כמה מתכונותי לבין האירוע הטראומטי של מות אמי: מלנכוליה, פסימיות, מופנמות, התבודדות, ונטייה לשהות בעולמות דמיוניים [...]. בדיעבד אני סבור, שתכונות אלה הן תשתית מולדת שבאה לידי ביטוי בתגובותי ודרך התמודדותי עם מות אמי, ואינן תוצאה שלה, הגם שעצם ההתמודדות בוודאי עיצבה אותי ואת מסלול חיי.

כך או אחרת, כתמיד, מין ומוות יחדיו (בכל זאת, הפסיכולוגיה רלוונטית לעתים לאסתטיקה): הלוויתן הגדול, הבולע, העוטף, הרחמי, הוא גם הלוויתן המת, הניצוד, המקולף, הבולע בליעת טרף, אולי גם הלוויתן המפלצתי והאכזר של מלוויל (במאמר שכתב מירון בנושא המְזעור, זיהה את הענקי – דמות הענק בספרות – עם המפלצתי, האֶלים, הרע). שהרי לא נפריד את המוטיב הנדון לאורך מאמר זה מעיסוקו המתמשך של מירון בעצמות בכלל (ראו במחברות הרישום שלו לא מעט רישומי גולגלות־חיות) ובשלדי ענק בפרט, ויותר מכל – בטרנספורמציה של רהיטים ביתיים לשלדים מונומנטליים קדומים: "העניין הזואולוגי, הפלאונטולוגי, האבולוציוני, מרתק אותי מילדות ואני די מעודכן בו. בלימודי לתואר ראשון הגעתי לקורסים בזואולוגיה וביולוגיה. התעניינתי בעיקר בספקולציה על יצורים שאינם קיימים: לברוא מודל של יצור מתוך מעט מאוד שרידים".

הלוויתן (ומקביליו הזואולוגיים והפסוודו־זואולוגיים ביצירת מירון) הוא לפיכך הרחם האמהית המגוננת והמולידה, והוא גם השלד, השריד. לוויתן ומוות

כרוכים זה בזה בתודעתו. ב־2002 שהה מירון עם אחיו בבית הקפה "מומנט" במרכז ירושלים, כאשר טרוריסט פלסטיני פוצץ את עצמו ופגע ביושבים רבים. באלבום הסקיצות של מירון נמצא את המלים "זק"א" (זיהוי קורבנות אסון: עמותה חרדית העוסקת בפינוי פצועים והרוגים) ו"עורלות, מוטציות לוויתנים" (אלוזיה לקטע ממובי דיק, המתאר כיצד אחד המלחים עוטה את עור הפין של הלוויתן כלבוש מגן במהלך אחד משלבי פירוק גופתו). הסרת העורלה בטקס ברית המילה לתינוק היהודי מחוברת ללוויתן האמהי־טראומטי.

אבקש להדגיש: יצירתו של מירון מורכבת ועשירה מכדי שתתמסר לרדוקציה לדימוי אחד דוגמת הלוויתן. בהתאם, יחסי מעטפת ופְּנים, פירוק ואחדות, אינטימיות (ביתית) ותפזורת, שניות של מודרניות וארכאיות – כל אלה ועוד ניכרים ברישומים, הדפסים, ציורים ופסלים רבים של מירון החורגים מהנטען במאמר זה. ואף על פי כן אני אומר: חַפשו את מובי דיק המסתתר, תורו אחריו מתחת לעבודותיו השונות של אוריאל מירון: הוא שם, גם כשהוא נחבא.

> ועוד עניין חשוב לגבי הלוויתן, שהוא אולי ידוע לך: החוויה המהופכת לחוויית הילדות עם הדגם הענק במוזיאון הטבע היא חוויית המפגש או הצפייה בלוויתן מתוך סירה על פני המים. רוב הלוויתנים (למעֵט כמה סוגים שנוהגים לזנק מחוץ למים) לעולם לא יציגו יותר מחלק קטן מגופם מעל פני המים, כשהוא עולה בקשת ומתעקל חזרה אל מתחת לפני המים. מצג זה הוליד, יחד עם הקשיים בהבנת ספר איוב, את ההשערות הקדומות שמדובר בנחש ים אדיר. אותי מעניין הרעיון שהלוויתן רוכב על הגבול בין שני עולמות – עולם מציאותי ועולם דמיוני. ככל שבקיעת גופו של הלוויתן אל מבעד לפני המים חלקית יותר – כך מתעורר יותר הדמיון לגבי חלקיו הסמויים מעין. זה מזכיר קצת את מטאפורת הקרחון של הלא־מודע – אך גם נבדל, משום שחלקו הגלוי של הקרחון הוא תמיד אותו חלק – אם כי הוא עשוי להתמוסס (ודרך אגב, יש לי גם סדרה של רישומי קרחונים). לעומת הקרחון, חלקו הגלוי של הלוויתן מתחלף ומשתנה ללא הרף ועשוי גם לכלול גחון וצד. הלוויתן המגיח חושף בכל רגע טפח אחר מגופו, וכדי לחשוף טפח זה עליו בהכרח להסתיר את שאר גופו [...]. תהליך העבודה שלי אנלוגי לחשיפה החלקית המִשתנה הזאת, משום שלעתים קרובות אני עובד לא מתוך תפיסה של שלם, אלא מתוך הגדרה מוקדמת של חלקים או צדדים שונים בשלם מתהווה.[7]

7 אוריאל מירון בשיחה עם המחבר.

מתוך הקיים:
על ההדפסים של אוריאל מירון

אירנה גורדון

קמטים משמים, 2006, תחריט שעווה רכה

מהו מקור היצירה האמנותית? אולי אין מדובר בנקודת היווצרות יש מאַיִן, הממוקמת על רצף ליניארי של עבר־הווה־עתיד? אולי נכון יותר לדבר על היווצרות יש מיֵש, בצמתי התהוות שבתורם מייצרים ריבוי משתנה? הדפסיו של הפסָל אוריאל מירון חושפים התמודדות מתמדת עם רגע היווצרותה של האמנות, בחינה של המתח בין תגובה לנביעה, כשאלָה העולה מחדש בכל רגע של עשייה.

בבסיס ההדפס ישנה תמיד השהיה, בשל הפער בין פעולת האמן לתוצאה הנראית לעין. ההדפס נוצר מתוך מרווחי זמן, בפערים שבין שלב לשלב. מירון רותם ליצירתו את הגירוי הטמון בהשהיה זו והופך אותה לשחקן ראשי. ההשהיה היא צומת של היווצרות מיֵש, מן הכבר־קיים, ומירון טוען כי היא שמאפשרת להרהר במקור האמנות במונחי הברירה הטבעית והאבולוציה של

דארווין – עיקרון שהוא למעשה אלגוריתם, מנגנון של יצירת דברים חדשים מתוך שינויים פנימיים אקראיים, שמשתמרים או מוכחדים במפגשם עם מבחן ההישרדות בלי התערבות של כוח מכוון או גורם חיצוני כלשהו. היווצרות של מינים חדשים היא תמיד מן היש ולא מן האין.

בפרולוג למוצאו של מחזה התוגה הגרמני, הדן בטרגדיות הגרמניות של המאה ה־17, יוצא ולטר בנימין נגד ההיסטוריציזם הגרמני כאשר הוא מאתר את ה"מוצָא" של סוגה זו בדיאלקטיקה בין יחידאיות לחזרה. לתפיסתו, ההיסטוריה אינה התקדמות מתמדת אלא התקיימות בתוך זמן הווה דחוס, אטי ואינטנסיבי, המחזיק מכלול של פרקטיקות ואובייקטים מודחקים.[1] כמו כן בשפות רבות, טוען ז'אן־לוק ננסי, המלה יצירה (creation) מתייחסת לבריאת העולם ולאמנות כאחת, מאחר שממש כמו יצירת האמנות גם מעשה הבריאה אינו הנכחה של דבר־מה חדש אלא יצירת מרווח, פתיחת מרחב, הבחנה, הבדלה והפרדה בין תחומים שונים.[2]

סימני שימוש היא הכותרת שנתן מירון לאחד התחריטים שיצר ב־2007 בסדנת ההדפס ירושלים. השם מתייחס לסימנים אקראיים שכבר היו על לוח המתכת לפני שהתחיל לעבוד עליו, והיוו נקודת מוצא לצורת הקובייה דמויית הבית או הפחון, שממנה נשפך חומר צפוף ודחוס. דימוי זה מופיע רבות ברישומיו של מירון וקשור בזכרונות ילדותו, ובה־בעת זו צורה אדריכלית פונקציונלית, המַבנה את כל חלל הנייר סביבה. ההדפס שיוצא מן המכבש הוא תוצר חדש – אך למעשה, במבט לאחור, הוא נוצר מתוך סימנים קיימים, מתוך יש כלשהו ולא מן האַיִן: "מה שמעניין אותי בהדפס, ובאותה עוצמה גם בפיסול, הוא המינימום שאליו אני יכול להגיב או שמפעיל אותי",[3] מגלה מירון. בדומה לפיסול, כל פרט בסדרה יכול לעמוד גם בפני עצמו, כעוד שלב בהתמסרות לתהליך של קצוות פתוחים.

בתחריט נקודת רוויה נראים גליונות הנייר ושמיכות ההדפס אלה על גבי אלה, ושלא כנהוג בהדפס הם מקומטים וניכרים בהם סימני שימוש. מירון: "זה סיפור של השהיה ולחץ. הנושאים לתחריטים הנוכחיים נולדו מתוך המבט שלי

1 Walter Benjamin, **The Origin of German Tragic Drama**, trans. John Osborne (London & New York: Verso, 2003); קטע מחיבור זה תורגם לעברית, וראו ולטר בנימין, "האלגוריה ומחזה התוגה", **מבחר כתבים ב: הרהורים**, תרגם מגרמנית: דוד זינגר (תל־אביב: הקיבוץ המאוחד, 1996), עמ' 31. ראו גם: Beatrice Hanssen, "Philosophy at Its Origin: Walter Benjamin's Prologue to the 'Ursprung des deutschen Trauerspiels'," **MLN**, 110:4 (September 1995, Comparative Literature Issue), p. 811

2 Jean-Luc Nancy, "Why Are there Several Arts and not Just One?" **The Muses**, trans. Peggy Kamuf (Stanford: Stanford University Press, 1994), pp. 19–20

3 אוריאל מירון בשיחה עם המְחברת, דצמבר 2014.

בסדנה, מבט שנמשך לפעולת הלחיצה של המכבש, לרווח שבין הגליל למיטת המכבש, למִתקני הייבוש שבהם נחים ההדפסים הלחים תחת ערימה של קרטונים ומשקולות, למרווחים שבין הניירות, לדבר המפריע והמגרה שנכנס ביניהם".[4] דחיסות הדימוי, הלחץ בין הניירות והשמיכות שיוצר מרווחים וקימורים, התנועה שנוצרת מתוך המתח בין שטיחות לעומק – בכל אלה נפרשׂת אחיזתם הקריטית של החומר, המדיום והייצוג אלה באלה, אחיזה שאינה מאפשרת להצביע על נקודת התחלה כלשהי. דימוי זה של מיזוג הצורני והפונקציונלי נושא בחובו ארוטיקה של מגע ותשוקה, של המפגשים הנקודתיים והחולפים בין גופים חיים, מתפתלים. בתחריטים לילה חסר שחר וקמטים משמים, מאותה שנה, השתמש מירון במוטיבים מתוך השונגה, הדפסי עץ יפניים ארוטיים מהמאה ה־19, שהפכו בעבודותיו לצלליות של צורות אמורפיות התלויות על חוטים ומחוללות זו מול זו.

מירון בחר לקרוא לתערוכתו "מושך זמן" כדי להצביע בגלוי על מרכזיות ההשהיה כפרקטיקה אמנותית וכמהלך מושגי בעבודתו. ההתבוננות בהדפסיו חושפת את האופנים שבהם ההשהיה לובשת צורה ביצירתו: את הדפס הרשת המונח מול שירו של דן פגיס "מישהו", בספר האמן בית עכביש (סדנת ההדפס ירושלים, 2010), אפשר לתאר כרגעי התפוצצויות אקראיות של צבע שחור בתוך קונסטרוקציה רישומית של אובייקט כלשהו – מאבק כוחות בין הבלתי נשלט לנשלט, שממנו בוקעת יצירת האמנות. כמו השיר, העבודה מושתתת על קונפליקט פנימי בין הבְּניה מושכלת לדחף ספונטני, בין המשכיות לפסק. בתחריט הפוגה מ־2007, שאף אותו יצר מירון בסדנת ההדפס, נראות שמיכות מופשלות על מכבש תחריט וסינר הדפס זרוק מעליהן, אך הדימוי משובש בפרץ של כתמיות עזה, כבתשליל צילומי שנשרף לפתע. ההפוגה הממשית בתהליך העבודה על ההדפס הופכת להשתהות ביצירת הדימוי. המהלך ההתפתחותי של הקו נעצר, משובש.

גם המהלך הנראטיבי בהדפסיו מושהה. ההדפסים מתמקדים ביחסי שלם וחלקיו, לצד יחסי מרכז ושוליים; לעתים (כמו בהדפסי הרשת) תחילתם בדימוי פיגורטיבי, שאז משובש או משוכפל ומשולב בשכבת רישום מופשט המתעתעת ומערערת את קיומו; לעתים (כמו בתחריטים) הדימוי לוכד את מרחב ההדפס כולו, בעוד מקורותיו נעוצים במבט בנסתר מן העין או בברור מאליו, למשל ערימות הנייר או שמיכות התחריט. אלא שכמו בפסלים של מירון, הסיפוריוּת בהדפסים אינה נעלמת; היא נשארת גלומה ביצירות אך אינה מתמסרת, מבצבצת

4 אוריאל מירון מצוטט אצל אירנה גורדון, "קופסת הפתעות סגורה", קט. **שיטוטים בחלל ההדפסי** (ירושלים: סדנת ההדפס, 2007), עמ' 37.

ומרוסנת כאחת, כמו בתחריט לבנים שבו נוף של בגדים תלויים על חבל כביסה עולה כרוח רפאים או כזיכרון רחוק, מטלטל אך בלתי נתפס.

מירון החל את דרכו האמנותית בהדפס. בשנה האחרונה ללימודי ספרות באוניברסיטת ייל בארצות־הברית החליט ללמוד תחריט כקורס בחירה, והמדיום המסוים הזה, על היבטיו הרישומיים, הפיסוליים והטכניים, הניע אותו להניח למלים ולצלול לתוככי האמנות הפלסטית. עם סיום לימודיו חזר לארץ ונרשם ללימודי אמנות בבצלאל:

> לעתים אני מרגיש בתחריט חופש רעיוני מיוחד בשונה מכל מדיום גרפי אחר, זאת למרות – או אולי בגלל – העבודה הקשה והשלבים הרבים שהוא דורש. בזמן לימודי בבצלאל זרמו לי הרעיונות דווקא בתחריט, ואילו הרישום היה פונקציונלי. מצד אחד, אי־היכולת לבטל ולשנות בתחריט מעניינת ומאתגרת אותי, ומן הצד השני, ההשהיה בין שלב לשלב חשובה מאוד והיא מעין משחק מקדים להדפס.[5]

פסליו המוקדמים של מירון נשאו אופי של חפצים ביתיים, שקרביהם נחשפים ומגלים את החלל כיחסים של מרווחים, קיפולים ולחצים בין שכבות של חומרים קשים ורכים. הדחיסות שאִפיינה אותם שינתה את עורה בפסלים מן השנים האחרונות: שכבות החומר השתחררו זו מזו והפכו לרישום מתפרץ במרחב, המשרטט מחדש את החלל סביבו. קונסטרוקציות מופשטות אֵלה, הרוחשות חיים, נבראות ממפגשי־המְפרקים בין חלקיהן, מהשהיות הנדרשות לכלכל את התנועה הבאה. המטאמורפוזות הפיסוליות שהתרחשו מאז ההתכנסות החומרית ועד למחול הצורני האוורירי בחלל, מעוגנות בדו־ממדיות של התחריטים והדפסי הרשת. אלה פותחים צוהר אל מוצָא עבודותיו של מירון, הנעוץ בתהליך הגילוי מתוך היש, מתוך הסימנים שכבר קיימים, מתוך ההשהיה, מתוך נראוּתם של המרווחים, מתוך עכשיו מתמשך.

5 שם.

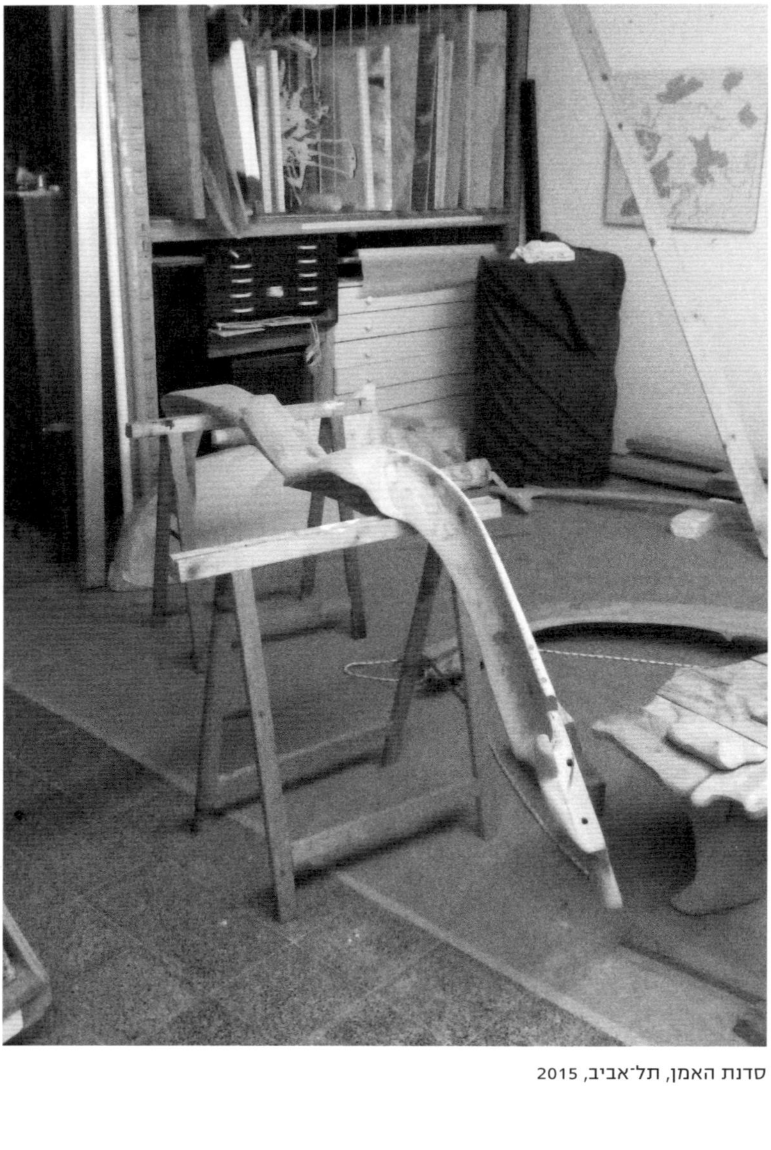

סדנת האמן, תל־אביב, 2015

— אוריאל מירון
— נולד בתל־אביב, 1968
— חי ויוצר בתל־אביב

1986-90 תואר ראשון בספרות (BA, הצטיינות יתרה), אוניברסיטת ייל, קונטיקט

1990-95 תואר ראשון (BFA, הצטיינות יתרה), המחלקה לאמנות, בצלאל אקדמיה לאמנות ועיצוב, ירושלים

1996-98 תואר שני (MFA, הצטיינות יתרה), בית הספר לאמנויות חזותיות, ניו־יורק

מ־1999 מרצה בכיר לאמנות ולעיצוב, שנקר בית ספר גבוה להנדסה ולעיצוב, רמת־גן

— תערוכות יחיד

1996 גלריה טובה אוסמן, תל־אביב

- הגלריה של המרכז לאמנות חזותית, מורשה, ירושלים

2000 "ממנטו מובילי", מוזיאון הרצליה לאמנות עכשווית; אוצרת: דליה לוין (קטלוג)

2002 "בין כלאיים", גלריה נחשון; אוצרת: יעל קיני

2004-05 "פינה רכה", משכן לאמנות, עין־חרוד; אוצרים: אוריאל מירון, גליה בר אור (קטלוג)

2010 "הולכים על 2" (עם הילה בן־ארי), גלריה 39, תל־אביב; אוצרת: רויטל בן־אשר פרץ

2011 "עקרון הרגעים" (עם קארן אירמר), פרויקט בחסות Schir Art Concepts, יריד צבע טרי 4; אוצרת: פרדריקה שיר

2012 "פרימה", Super Bien! – חממה לאמנות עכשווית, ברלין; אוצרת: אן־קטרין שטורק

2013 "כמטחווי עצם", H2 – מרכז לאמנות עכשווית, אאוגסבורג, גרמניה; אוצר: תומס אלזן (קטלוג)

— מבחר תערוכות קבוצתיות

1998 "ילדים טובים – ילדים רעים: התיילדות באמנות הישראלית", מוזיאון ישראל, ירושלים; אוצרים: יגאל צלמונה, נירית נלסון

2001 "רשמים: רישום בישראל עכשיו", הביינאלה לרישום, בית טיכו, ירושלים; אוצר: אילן ויזגן (קטלוג)

- "com.art", מוזיאון המדע ע"ש בלומפילד, ירושלים; אוצרת: נירית נלסון

- "גברים בבית", הגלריה ע"ש ישראל פולק (קלישר), תל־אביב;
אוצרת: נעמי אביב

2002 "גבולות הפיסול: אמנות, מדע ותעשייה", גלריה אברהם ברון לאמנות, אוניברסיטת בן־גוריון, באר־שבע; המוזיאון הפתוח, עומר; אוצרים: רותי אופק, חיים מאור, חיים פינקלשטיין (קטלוג)

2003 "למה לא: כמה היבטים בפיסול עכשווי", הגלריה לאמנות, אוניברסיטת חיפה; אוצר: אבישי אייל (קטלוג)

2004 "אמנות הארץ: מחול אחרון", תחנת כוח רידינג, תל־אביב;
אוצרת: רותי דירקטור

2005 "ללא מוצא", מוזיאון על התפר, ירושלים; אוצר: רפי אתגר (קטלוג)

- "בעקבות שמי", הגלריה לאמנות, אוניברסיטת חיפה;
אוצרת: שרון פוליאקין

2006 "מיני־ישראל", מוזיאון ישראל, ירושלים; אוצר: לארי אברמסון (קטלוג)

- "פרסי משרד החינוך, התרבות והספורט", מוזיאון ישראל, ירושלים;
אוצר: אמיתי מנדלסון (קטלוג)

2007 "שיטוטים בחלל ההדפסי", סדנת ההדפס, ירושלים;
אוצרת: אירנה גורדון (קטלוג)

- "יחיד ויחד", בית האמנים, ירושלים; אוצרת: תמנע זליגמן (קטלוג)

2008 "לבן מלוכלך", גלריה פלורנטין 45, תל־אביב; אוצרות: גילת נדיבי, אירנה גורדון (קטלוג)

- "סמוך ונראה: קשרים והקשרים / אוסף בנו כלב", המוזיאון הפתוח, תפן;
אוצר: בנו כלב (קטלוג)

- "מציאות עקומה", המרכז לאמנות דיגיטלית, חולון; אוצרים: אירנה גורדון, יואב רבן (קטלוג)

2009 "מה רוצה פיסול?", גלריה בצלאל סלמה, תל־אביב;
אוצרת: רותי דירקטור

- "נקודת השקה", גלריה גורדון, תל־אביב; אוצר: בנו כלב

- "דו"ח שנתי", גלריה קיימא, תל־אביב; אוצר: פיליפ ברנדיס

- "סטיית תקן", מרכז לאמנות עכשווית, תל־אביב;
אוצרת: מעיין שלף (קטלוג)

- "מוזיאון הטבע", מוזיאון פתח־תקוה לאמנות;
אוצרת: רויטל בן־אשר פרץ (קטלוג)

- "בית הרוחות של מאני", בית מאני, תל־אביב, במסגרת יריד צבע טרי 2;
אוצרים: יפעת גוריון, מתן דאובה

-	"אבסטרקט עכשיו", גלריה קיימא, תל־אביב; אוצר: יובל קידר
2010	"הבעיה עם האופק", פרויקט פיסול ציבורי בטיילת בת־ים; אוצרת: מעיין אמיר
-	"עשרה ספרי אמן", סדנת ההדפס, ירושלים; אוצרת: אירנה גורדון (קטלוג)
2010-11	"הצפה", במסגרת הביינאלה הארצית לרישום, סדנת ההדפס, ירושלים; אוצרת: אירנה גורדון (קטלוג)
2011	"נקודת שקט", סדנת ההדפס, ירושלים; אוצרת: אירנה גורדון
2012	גלריה דן, תל־אביב, במסגרת יריד צבע טרי 5; אוצרת: רווית הררי
2013	"זמן הדפס", המוזיאון הפתוח, תפן; אוצרות: רותי אופק, אירנה גורדון (קטלוג)
-	"משחקי אור וצל", מוזיאון המדע ע"ש בלומפילד, ירושלים; אוצרת: דעה ברוקמן
-	"עין השחרור", בית האמנים, תל־אביב; אוצרת: אירנה גורדון
2014	הביינאלה הבינלאומית לפיסול, מוזיאון טוקיווה, אוּבֶּה, יפן
-	"הזוכים 2013: פרסי משרד התרבות והספורט", מוזיאון חיפה לאמנות; אוצרת: אורית בולגרו (קטלוג)

פרסים ומלגות

1989	מלגה לפרויקט צילום, קרן דורות, רוד־איילנד
1995	פרס הצטיינות, המחלקה לאמנות, בצלאל אקדמיה לאמנות ועיצוב, ירושלים
1996-98	מלגת הצטיינות, בית הספר לאמנויות חזותיות, ניו־יורק
2002	פרס ברנרד וגוסטי רדר לפיסול, הרצליה
2005	פרס עידוד יצירה, משרד החינוך, התרבות והספורט
2009	מלגת קרן יהושע רבינוביץ' לאמנויות
2012	תמיכה לתערוכת יחיד בגרמניה, מועצת הפיס לתרבות ואמנות
2013	פרס שרת התרבות והספורט בתחומי האמנות הפלסטית

כמטחווי עצם

H2 – מרכז לאמנות עכשווית, אאוגסבורג,
גרמניה, 2013

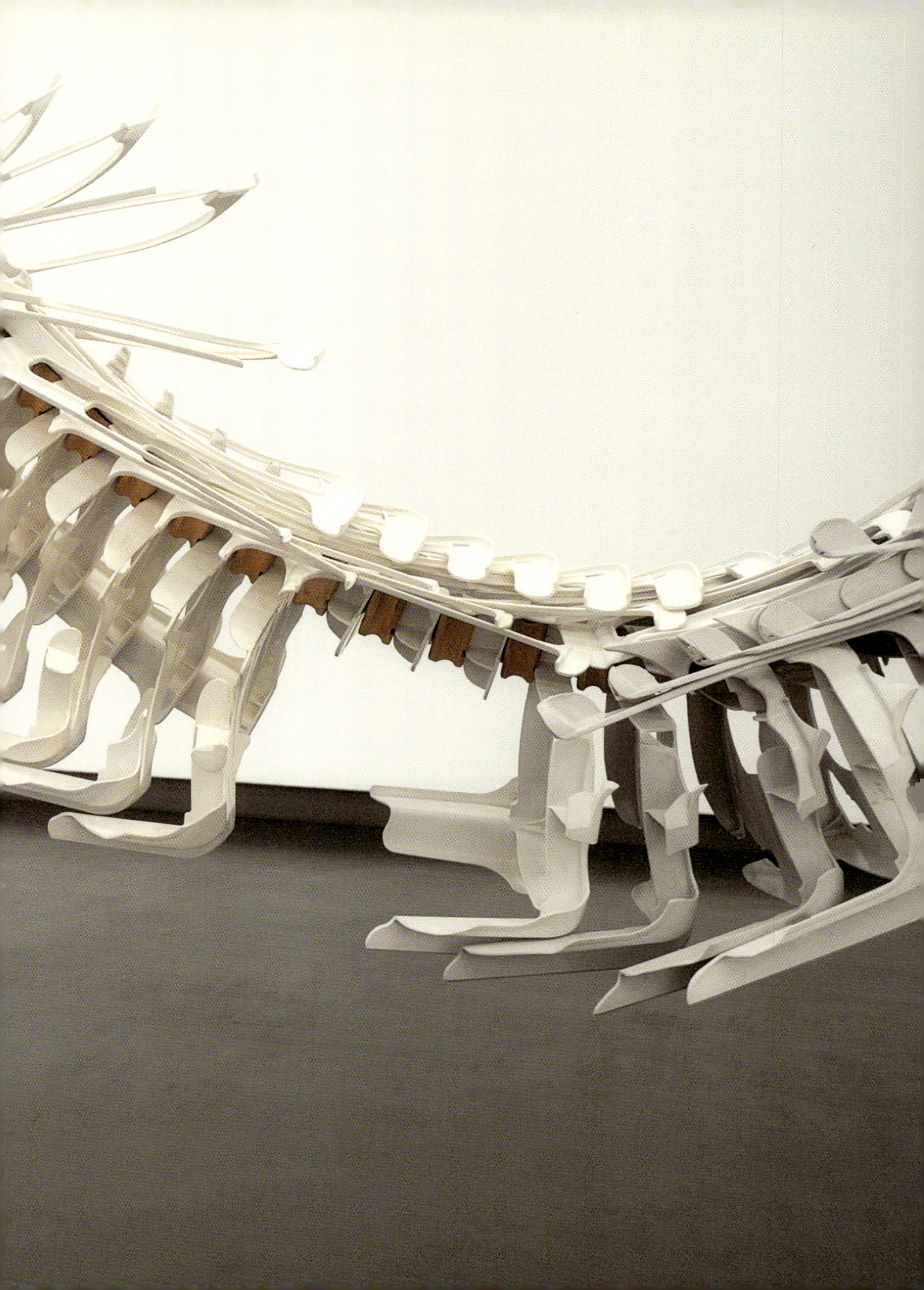

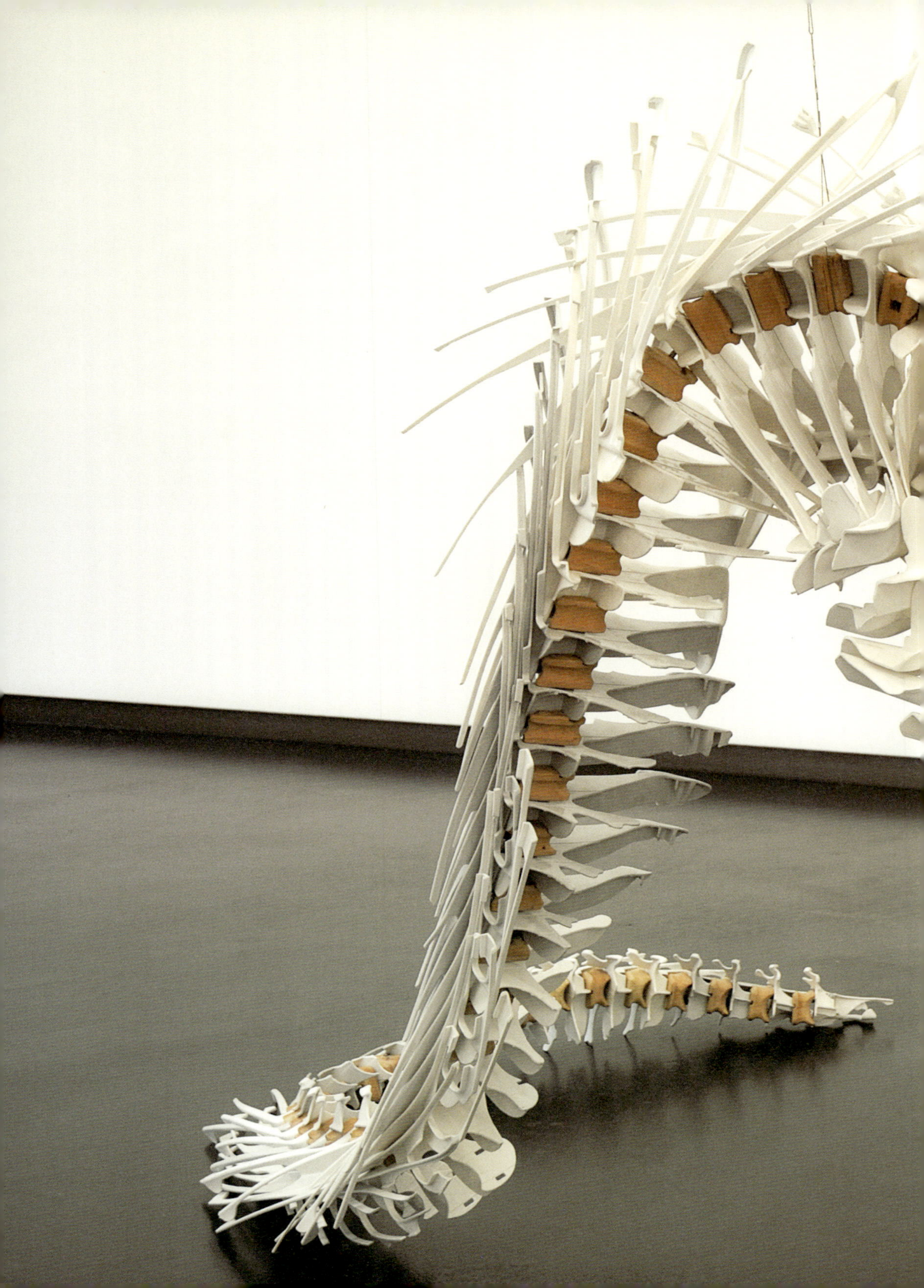

Cryptozoid Skeleton, 2009
Carved plastic monobloc chairs, steel cable, and wood
שלד קריפטו־זואולוגי, 2009
כיסאות פלסטיק מנוסרים, כבל פלדה ועץ
250×700×210

Liquid Asset, 2008
Painted reclaimed wood and fabric
נכס נזיל, 2008
עץ משומש צבוע ובד
140×300×300

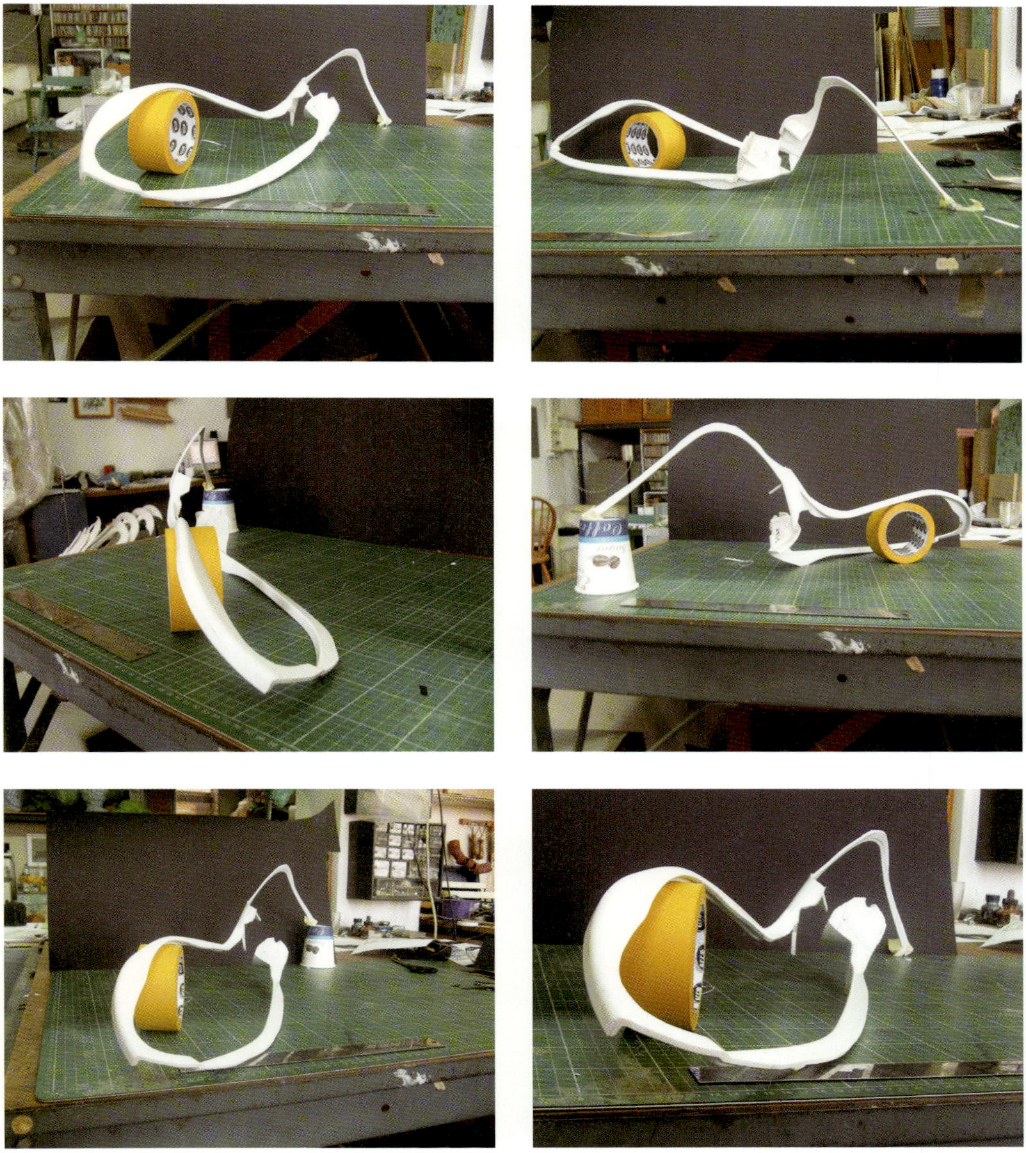

A Bone's Throw: work process, 2013

תהליך העבודה על **כמטחווי עצם**, 2013

A Bone's Throw 1 (Shake), 2013
Painted beech-wood
כמטחווי עצם 1 (נעַר), 2013
עץ בוק צבוע
132×590×233

Installation views, 2013
מראות הצבה, 2013

Principle of Moments, 2010
Painted wood and plywood
עקרון הרגעים, 2010
עץ צבוע ועץ לבוד
220×400×160

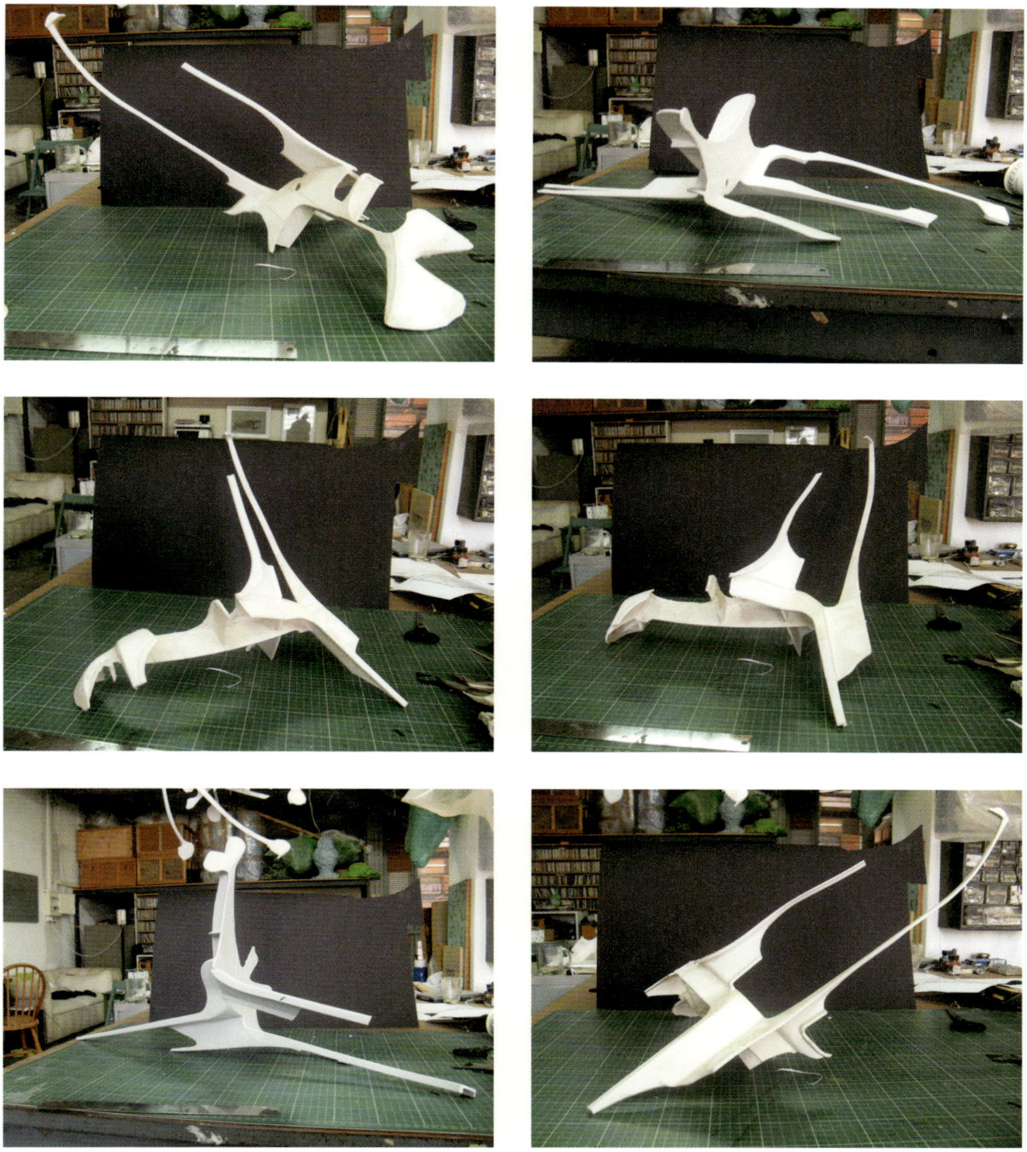

A Bone's Throw: work process, 2013

תהליך העבודה על **כמטחווי עצם**, 2013

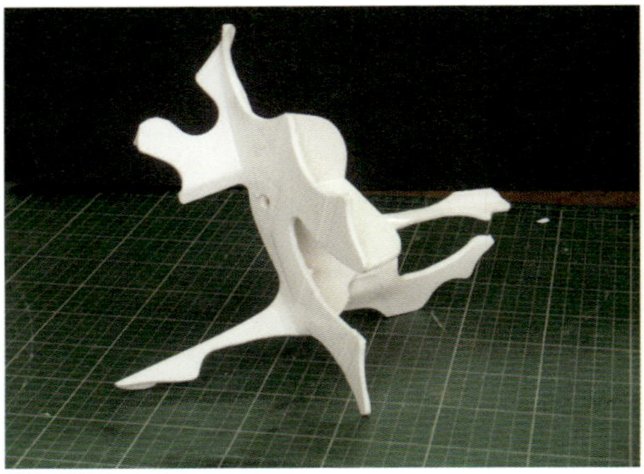
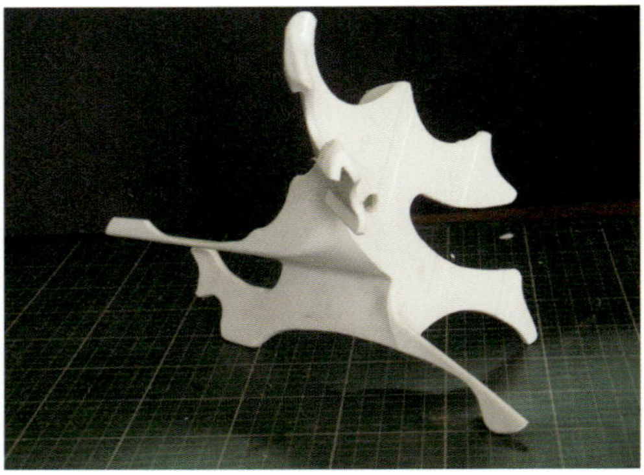

Installation view
מראה הצבה